D0419002

GEORGIE DOM

MIJN GOED **RECHT** ALS **CONSUMENT**

1e druk, augustus 2014

Inlichtingen Consumentenbond

Auteur: Georgie Dom
Verder werkten mee: Barbara van der Est, Marcel Hooft van Huysduynen, Jan Klinckenberg, Rien Meijer, Charles Onbag, Koos Peters, Nelleke Rookmaker, Ben Schellekens, Maurice Wessling, Bas Willigenburg
Eindredactie: Vantilt Producties, Nijmegen
Tekeningen: Ad Oskam
Grafische verzorging: PUUR Publishers/Nanette van Mourik, Maartje Vermeer
Foto omslag: iStockphoto

ISBN 978 90 5951 2870
NUR 822

Inhoud

Inleiding

In Nederland zijn de consumentenrechten over het algemeen goed geregeld. Maar hoe brengt u die rechten in praktijk? De Consumentenbond is dé organisatie bij uitstek die zich hard maakt voor consumentenrechten. Die kennis vindt u terug in dit boek, vertaald naar heldere informatie en praktische tips. Op de website van de Consumentenbond staat nog meer aanvullende informatie. Klik op de homepage op Klachten & problemen of ga naar www.consumentenbond.nl/juridisch-advies.
U leest eerst in hoofdstuk 1 hoe het recht in ons land in grote lijnen in elkaar zit. Daarna gaan we in op specifieke situaties waar iedereen weleens mee te maken krijgt. Zo gaat hoofdstuk 2 over uw rechten bij het kopen van een product. Gewoon in de winkel, maar ook via internet of colportage. Goed om te weten dat uw rechten bij kopen op afstand nu nog beter zijn geregeld!
In hoofdstuk 3 zijn uw reisrechten aan de beurt. Wat als uw vlucht vertraagd of overboekt is? Of het hotel zwaar tegenvalt? U leest over het nut van het Calamiteitenfonds en de Stichting Garantiefonds Reisgelden.
Een relatief nieuw terrein vormen uw rechten in de digitale wereld, bijvoorbeeld tegenover telecomproviders en aanbieders van sms-diensten. U leest erover in hoofdstuk 4. Hier komen onder meer het nieuwe downloadrecht en de gespannen verhouding tussen internet en uw privacy aan bod.
Hoofdstuk 5 gaat over uw rechten in de financiële wereld. Denk aan banken, verzekeraars, pensioenfondsen, de Belastingdienst, sparen, lenen, beleggen en financieel dienstverleners.
Achterin treft u een uitgebreide adressenlijst van organisaties waar u nog meer te weten kunt komen.
Nuttige, praktische informatie die verluchtigd wordt met ervaringen van onze leden, zoals die terug te vinden zijn in de rubrieken Stekeligheden in de *Consumentengids*, Bits in de *Digitaalgids*, Leergeld in de *Geldgids* en Turbulentie in de *Reisgids*.

01 OVER HET RECHT IN HET ALGEMEEN

Voordat we in de volgende hoofdstukken ingaan op uw rechten en plichten als consument in allerlei situaties, vertellen we u in dit hoofdstuk eerst iets over het recht in het algemeen.

IK GA EVEN M'N RECHT HALEN.
NEEM DAN GELYK 'N VOLKOREN EN 'N PAK MELK MEE...

U leest hier over de verschillende instanties waar u terechtkunt voor juridisch advies. Ook vertellen we meer over de verschillende manieren waarop u uw recht kunt halen: via mediation, klachtencommissies en civiele rechtspraak.

1.1 Wet en overeenkomst

Uw rechten en plichten tegenover de overheid en die van de overheid jegens u zijn vrijwel allemaal wettelijk vastgelegd. Ze zijn dwingend geregeld; er kan niet aan getornd worden. Ook enkele rechten en plichten die u heeft als consument zijn wettelijk vastgelegd. Ze staan in het Burgerlijk Wetboek.
In zaken die niet dwingend in de wet worden geregeld, kunnen partijen hun eigen 'wet' opstellen in de vorm van overeenkomsten. Daarbij geldt contractvrijheid: partijen kunnen met elkaar eigen voorwaarden afspreken. Zulke overeenkomsten tussen partijen gelden als wet, mits de inhoud niet in strijd is met een wet, openbare orde of goede zeden. De wet verbiedt bijvoorbeeld het doorverkopen van gestolen spullen (heling). En soms geeft een wet dwingende regels om een zwakkere partij te beschermen waarmee rekening gehouden moet worden (wie bijvoorbeeld een kamer wil verhuren, heeft te maken met de huurwetgeving).

1.2 Personen en rechtspersonen

Wie zijn er volgens de wet bevoegd een rol te spelen in het recht? Wie kunnen een proces voeren?
Allereerst u en uw buurman; alle mensen ('personen') van vlees en bloed. Daarnaast organisaties, zoals naamloze en besloten vennootschappen (nv's en bv's), stichtingen en verenigingen. Maar ook de staat en gemeenten. Deze organisaties noemen we 'rechtspersonen'.
Rechten en plichten kunnen dus bestaan tussen:

- u en een andere burger;
- u en een rechtspersoon;
- u en de overheid;
- rechtspersonen onderling.

Standaard

'Inclusief AC-adapter', staat in de handleiding van de nieuwe Viewpia e-reader van de heer Berends uit Glimmen. Maar in de doos zit géén adapter. Bij Saturn in Groningen zijn ze niet onder de indruk: 'Die moet u er los bij kopen.' Na aandringen van Berends stuurt Saturn een mail naar Viewpia, maar 'een antwoord kan lang duren'. Dus mailt Berends zelf naar Viewpia en hij krijgt dezelfde dag al antwoord. Met 'we leveren geen adapter' is de kous af.

Op vragen van de Consumentenbond antwoordt Saturn met 'begrip' en 'excuses' en zoekt de zaak uit. Dan blijkt dat Viewpia een algemene handleiding gebruikt, waar nu eenmaal standaard in staat dat een adapter bijgesloten is. Slordig van Viewpia. Saturn reageert adequaat; Berends krijgt toch een adapter.

Stekeligheden, Consumentengids december 2013

1.3 Rechtspraak

Als personen en rechtspersonen zich niet aan de wet of onderlinge afspraken houden, kan er een conflict ontstaan. Rechters hebben als taak die conflicten te beslechten.

In Nederland is de rechtspraak onderverdeeld in burgerlijk recht, staats- en bestuursrecht en strafrecht. Daarnaast bestaat er een particuliere rechtspraak, in de vorm van geschillencommissies, mediation en arbitrage. Als klagende consument zult u vooral te maken krijgen met de burgerlijke (civiele) rechtspraak. De civiele rechter doet uitspraak in geschillen waarbij u tegenover een andere burger staat, tegenover de overheid die als burger optreedt (als verkoper van een stuk grond bijvoorbeeld) of tegenover een rechtspersoon (zoals een organisatie of een fabrikant).

Als de overheid niet als burger, maar als overheid optreedt, kunt u ook met het bestuursrecht te maken krijgen. De verhouding tussen de overheid en burgers en rechtspersonen is geregeld in de Algemene wet bestuursrecht. U krijgt hier bijvoorbeeld mee te maken als u bezwaar maakt tegen de WOZ-beschikking of tegen een geweigerde bouwvergunning. Of als u bezwaar heeft gemaakt tegen een voorlopige aanslag en de Belastingdienst dat afwijst. U moet dan naar de belastingrechter.

1.4 Recht halen

Wat moet u doen als u een recht meent te hebben, maar dit niet krijgt? Of niet op de manier waarop u wenst? Hoe u dan te werk moet gaan, hangt af van diverse factoren. Van invloed zijn bijvoorbeeld het onderwerp, het (financiële) belang van het geschil en degene tegenover wie u uw recht wilt halen (burger, rechtspersoon of overheid).
We geven hier enkele basisregels. In de hoofdstukken hierna gaan we meer gedetailleerd in op bepaalde geschillen met bijvoorbeeld een winkelier, een reisorganisator, een financiële instelling of een internetprovider.

1.4a Advies

Voordat u stappen neemt, moet u nagaan of u in uw recht staat. Soms is dat overduidelijk, bijvoorbeeld als u iets heeft besteld en betaald, maar niet ontvangen heeft.
Twijfelt u? Controleer dan wat de wet hierover zegt of, als het om een overeenkomst gaat, wat de 'kleine lettertjes' (de algemene voorwaarden) vermelden. U kunt advies inwinnen bij verschillende juridische dienstverleners en (belangen)organisaties.
Als u eenmaal weet dat u in uw recht staat, moet u vaststellen wat u wilt bereiken. Wilt u alleen uw gelijk, dus genoegdoening? Wilt u dat de tegenpartij wordt bestraft? Of wilt u ook een financiële genoegdoening, een schadevergoeding dus? En smartegeld daarbovenop? Als geld een rol speelt, moet u berekenen om welk bedrag het gaat.
Tot slot moet u nagaan of uw belang opweegt tegen de moeite die u moet doen om uw recht te halen. Blijkt uw belang zwaar genoeg, dan moet u nog bezien hoe het staat met uw bewijspositie. Gelijk hebben betekent niet automatisch gelijk krijgen. Als u uw gelijk niet kunt bewijzen, wordt het een stuk moeilijker. Alles wat daarbij kan helpen, zoals bonnen en schriftelijke afspraken, moet u dus verzamelen en bewaren.

Wets-/rechtswinkel

Nederland kent bijna 80 wets- of rechtswinkels. U kunt er gratis advies krijgen van rechtenstudenten of afgestudeerde juristen die op vrijwillige basis werken. Er is een grote variatie in het aanbod. Zo zijn er kinder-, migranten- en vrouwenrechtswinkels.
De drempel om een rechtswinkel binnen te stappen is laag, maar dat geldt soms helaas ook voor de deskundigheid. Voor simpele juridische

kwesties kunt u prima bij een rechtswinkel terecht. Heeft u een gecompliceerde zaak, dan kunt u beter elders aankloppen.

Juridisch Loket

Bij het Juridisch Loket (zie Adressen) kunt u antwoord krijgen op juridische vragen op allerlei gebieden, waaronder werk, uitkeringen, familiekwesties, huren en eigen huis, consumentenproblemen, vreemdelingenzaken, strafzaken, rechtsbijstand en verkeersboetes. Het Juridisch Loket kan niet helpen bij zakelijke kwesties.
Op www.juridischloket.nl en in de 30 vestigingen in heel Nederland krijgt u heldere informatie over juridische onderwerpen. Meer dan 300 juridisch medewerkers geven advies op maat en kunnen zo nodig doorverwijzen naar een andere instantie, een mediator of advocaat.
De dienstverlening is gratis. Alleen als u belt via 0900 – 8020 betaalt u €0,20 per minuut, plus de normale kosten van uw (mobiele)telefoonaanbieder. Wordt u via het Juridisch Loket doorverwezen naar een advocaat of mediator, dan zijn aan zijn diensten uiteraard wel kosten verbonden.
Het Juridisch Loket is een initiatief van de overheid en wordt betaald door het ministerie van Veiligheid en Justitie.

Tip

Korting op eigen bijdrage

Als u eerst een Juridisch Loket bezoekt en men u in het Diagnosedocument naar een advocaat doorverwijst, krijgt u een korting van €53 op de eigen bijdrage.

Autoriteit Consument & Markt (ACM)

De Consumentenautoriteit (CA), de Nederlandse Mededingingsautoriteit (NMa) en de Onafhankelijke Post en Telecommunicatie Autoriteit (OPTA) zijn sinds 1 april 2013 opgegaan in de Autoriteit Consument & Markt (ACM). Deze onafhankelijke toezichthouder maakt zich sterk voor consumenten en bedrijven.
Consumenten kunnen bij ConsuWijzer, de helpdesk van de ACM, gratis informatie en advies krijgen. ConsuWijzer vertelt u wat uw rechten en mogelijkheden zijn en welke weg u kunt bewandelen voor een oplossing. Blijkt uit uw klacht dat het bedrijf de wet overtreedt, dan kan de

ACM optreden. Met de Wet oneerlijke handelspraktijken kan de ACM ondernemers beboeten die misleidende reclame of agressieve verkooptechnieken gebruiken.

ConsuWijzer

ConsuWijzer (zie Adressen) is het loket van de overheid waar u terechtkunt voor informatie over uw rechten als consument op verschillende terreinen: internet, telefonie, kabel en post; energie; elektronica en huishoudelijke apparatuur; huis en tuin; zorg en welzijn; vakantie en vrijetijdsbesteding; vervoer; kleding en textiel; financiën en verzekeringen.
De medewerkers lossen het probleem niet voor u op, maar wijzen u wel de weg naar de oplossing. Ze vertellen u dus hoe u het best te werk kunt gaan en bij welke instantie u moet zijn. Uw klacht of vraag wordt geregistreerd en doorgegeven aan de ACM.

Consumentenbond
Leden van de Consumentenbond kunnen bij ons Adviescentrum terecht voor persoonlijk advies op het gebied van consumentenrecht. U kunt er niet terecht voor zaken op andere rechtsgebieden, zoals arbeids-, verkeers-, buren-, erf- en fiscaal recht.
De Consumentenbond kan niet actief bemiddelen, noch enigerlei rechtsbijstand verlenen. Wel leveren we groepsbemiddeling bij problemen met een leverancier, zoals bij onze acties voor aandelenlease- en energiegedupeerden in het verleden.
Verder kunt u uw klacht gratis melden op Klachtenkompas.nl, een initiatief van de Consumentenbond (ook voor niet-leden). Op dit onlineplatform kunnen consumenten een klacht plaatsen en hebben bedrijven de mogelijkheid om daarop te reageren. De Consumentenbond bemoeit zich niet inhoudelijk met de klachten; de bedoeling is om consumenten en deelnemende bedrijven (weer) met elkaar in gesprek te brengen. Voorjaar 2014 doen al meer dan 1000 bedrijven mee.

Tip

Belangenorganisatie

Juridisch advies tegen geen of weinig geld zit vaak in het lidmaatschap van organisaties, zoals de ANWB, de Vereniging Eigen Huis, de Nederlandse Woonbond en de vakbond.

Rechtsbijstandsverzekeraar
Wie een rechtsbijstandsverzekering heeft, kan voor informatie en advies bij deze verzekering aankloppen, mits het gaat om een kwestie die valt binnen de module(n) die u heeft afgesloten. Rechtsbijstandspolissen worden met name aangeboden voor motorrijtuigen, verkeer, gezin en bedrijfsrecht.

Advocaat
Advocaten zijn juridisch deskundigen die bemiddelen en advies geven en de burger bijstaan in processen. Bij processen bij de rechtbank, het Hof en de Hoge Raad is een advocaat verplicht. Bij de sectie kanton van de rechtbank is een advocaat niet verplicht. Hetzelfde geldt voor bepaalde procedures tegen de overheid, zoals problemen bij de verlening van een omgevingsvergunning.
Een advocaat hoort zich te houden aan de Gedragsregels van de Orde van Advocaten (zie Adressen). Volgens die regels moet hij u als cliënt zo inlichten dat u een juist inzicht krijgt in de stand van zaken. Bij belangrijke beslissingen moet hij u raadplegen en van ieder processtuk hoort hij u een afschrift te sturen. De advocaat heeft de leiding, maar mag niets doen tegen uw kennelijke wil in. Als u hem een opdracht heeft gegeven, kan hij zich niet aan zijn aansprakelijkheid voor zijn handelingen onttrekken door te zeggen dat 'u het zo wilde'.

Gesubsidieerde bijstand

Bij gesubsidieerde rechtsbijstand vergoedt de overheid een deel van de kosten die u maakt wanneer u een advocaat of mediator (conflictbemiddelaar) nodig heeft. U betaalt wel altijd een eigen bijdrage, afhankelijk van uw inkomen en vermogen. U kunt hiervoor in aanmerking komen op grond van de Wet op de rechtsbijstand.
Uw rechtsbijstandsverlener of mediator stelt samen met u een aanvraag op voor gesubsidieerde rechtsbijstand of mediation. Die aanvraag wordt ingediend bij de Raad voor Rechtsbijstand (zie Adressen). Het besluit om de aanvraag al dan niet te honoreren wordt gevormd op basis van uw inkomensgegevens en vermogen van twee jaar geleden (afkomstig van de Belastingdienst) en de inhoudelijke gegevens van uw zaak.
U komt voor gesubsidieerde rechtsbijstand of mediation in aanmerking als uw brutoverzamelinkomen in het peiljaar lager is dan €25.600 (alleenstaanden) of €36.100 (gehuwden, eenoudergezinnen, geregistreerde partners of

samenwonenden). De bedragen zijn van 2014 en gelden dus voor 2012. Uw vermogen speelt ook een rol, maar de waarde van een eigen woning hoeft u niet op te geven. De vermogensgrenzen zijn €21.139 (peiljaar 2012) per belastingplichtige persoon, met voor elk minderjarig kind een bijtelling van €2762. Voor mensen van 65 jaar of ouder geldt een extra heffingsvrij vermogen van maximaal €27.894.
Op www.rijksoverheid.nl (zoek naar 'Gesubsidieerde rechtsbijstand') vindt u tabellen met de inkomensgrenzen en eigen bijdrage. Op de site van de Raad voor Rechtsbijstand vindt u meer informatie over gesubsidieerde rechtsbijstand, maar ook wat u kunt doen bij een conflict op diverse terreinen (familie en relatie, werk, overheid, gezondheid, wonen en consumentenzaken) en wie u daarbij kunnen helpen.

Bezuinigingsplannen gesubsidieerde hulp

Het kabinet wil de kosten voor gesubsidieerde rechtsbijstand inperken. De plannen hiervoor staan in de 'Stelselvernieuwing rechtsbijstand' en zijn nog niet goedgekeurd door de Tweede en Eerste Kamer. Als ze doorgaan, moeten ze een besparing van €85 miljoen opleveren. Het kabinet heeft de volgende plannen:

- Wie aanspraak wil maken op gesubsidieerde rechtsbijstand, moet zich eerst melden bij het Juridisch Loket. Daar beoordeelt een medewerker of rechtsbijstand echt nodig is.
- Consumentengeschillen en huurgeschillen komen niet meer in aanmerking voor gesubsidieerde rechtsbijstand.
- Echtscheidingen moeten zo veel mogelijk worden afgehandeld zonder tussenkomst van de rechter. Dat kan alleen als de partners het met elkaar eens zijn. Ook mogen er geen minderjarige kinderen in het spel zijn.
- Bij echtscheidingen moet de partner met het hoogste inkomen (of vermogen) meebetalen aan de kosten van de tegenpartij.
- Het uurtarief dat pro-deoadvocaten bij de overheid declareren bij grote zaken gaat omlaag van €104 naar ongeveer €70.
- De eigen bijdrage kent straks drie inkomenscategorieën in plaats van vijf. Mensen op het sociaal minimum gaan €200 betalen. Wie het minimumloon verdient, moet €355 bijdragen. Iedereen die meer inkomen heeft, betaalt €745.

Tip

Gratis kennismakingsgesprek

Bij een groot aantal advocaten kunt u terecht voor een gratis kennismakingsgesprek van zo'n 30 minuten. U kunt zo al veel te weten komen, bijvoorbeeld of het zin heeft een juridische procedure te starten. Als u verdergaat met de advocaat, kost dat natuurlijk wel geld. Vraag vooraf hoeveel uur de advocaat aan de zaak denkt te besteden, zodat u een kostenindicatie heeft.

Het inschakelen van een advocaat is kostbaar. De rekening bestaat uit zijn honorarium, de belaste verschotten (waarover de advocaat belasting moet betalen; zie hierna) plus btw en de onbelaste verschotten. Bij de vaststelling van zijn honorarium gaat de advocaat doorgaans uit van de tijd die hij aan een zaak heeft besteed. En zijn uurloon is niet gering: dat kan uiteenlopen van €100 tot €500, exclusief 21% btw.
Een advocaat kan ook op een andere manier declareren, bijvoorbeeld afhankelijk van draagkracht of resultaat, via een vast bedrag of via een incassotarief. Via www.advocaten-vergelijken.nl kunt u vrijblijvend informatie en offertes van advocaten in uw regio opvragen.
Verschotten zijn de kosten die een advocaat voor zijn klant maakt, zoals griffierechten, deurwaarderskosten en reis- en verblijfskosten. De algemene kosten (kantoor en dergelijke) zijn in het honorarium begrepen. Op uw verzoek hoort een advocaat u een gespecificeerde rekening te geven.

Deurwaarder

Een deurwaarder wordt bij Koninklijk Besluit door de Kroon benoemd en moet daarna een eed afleggen. Hij heeft ambtelijke en niet-ambtelijke taken. De meeste mensen denken bij een deurwaarder aan zijn ambtelijke taken: het uitbrengen van dagvaardingen, het doen van gerechtelijke aanzeggingen, het uitbrengen van exploten tot de uitvoering van alle rechterlijke bevelen, vonnissen en arresten, het toezien op vrijwillige openbare verkoping van onroerende zaken en het opmaken van inventarissen.
Tot zijn niet-ambtelijke werkzaamheden behoren het incasseren van vorderingen, adviezen geven, rechtskundige bijstand verlenen en rechtszittingen bijwonen. Incasseren van vorderingen kan overigens ook door

een incassobureau gebeuren. U kunt bijvoorbeeld bij een deurwaarder voor advies aankloppen als een winkelier u geen geld terug wil geven. Het kan handig zijn dan vooraf een inschatting van de kosten, kans van slagen enzovoort te krijgen.

Machtsstrijd

Spelen! denken de Ierse wolfshondpuppy's van Miriam Heijmeijer uit Rhenen, als ze achter de toegangspoort een interessant pakketje vinden. Omdat hun baasje niet thuis was, heeft PostNL het daar achtergelaten. Heijmeijer vindt haar bestelling aan flarden op de binnenplaats. Zalando belooft de fout aan te kaarten bij PostNL: 'U hoort nog van ons.' Inderdaad. Zo'n 20 keer, gedurende ruim 5 weken. Van Zalando én van PostNL, die elkaar de zwartepiet toespelen.
'Zodra het pakket is afgegeven, zijn wij niet meer verantwoordelijk', zegt Zalando. PostNL meent dat Heijmeijer juist bij Zalando moet zijn. Dat het pakket door PostNL achteloos over de schutting is gedumpt, lijkt het postbedrijf te ontgaan.
Heijmeijer roept Stekeligheden als scheidsrechter in. Zalando vraagt pardon en betaalt 'onder deze speciale omstandigheden' de aanschafprijs terug.
Stekeligheden, Consumentengids mei 2014

Notaris
Een notaris is een duizendpoot in de administratieve en juridische dienstverlening. Hij is een openbaar ambtenaar en als enige bevoegd om notariële akten op te maken. Dat behoort tot zijn ambtelijke praktijk. Net als de deurwaarder kan hij ook adviezen geven. Die vallen onder zijn niet-ambtelijke werkzaamheden. U kunt bij een notaris terecht voor advies over onder andere aan- of verkoop van de woning, nalaten en schenken.
In het notariaat gelden geen vaste tarieven. Het is daarom belangrijk dat u van tevoren een offerte vraagt. De notaris kan daarin een vast bedrag aangeven voor zijn werkzaamheden, of een uurtarief, of variaties daarvan. Voor u is van belang vooraf te weten waar u aan toe bent. Via www.degoedkoopstenotaris.nl en www.notaristarieven.nl kunt u de tarieven van notarissen met elkaar vergelijken.

Tip

Gebruik sociale media

Sociale media worden door consumenten steeds vaker gebruikt bij problemen met een bedrijf. Bedrijven beseffen steeds beter hoeveel impact een Facebook-post of een tweet door het grote bereik kan hebben.

1.4b Wacht niet te lang

Wacht niet te lang met actie ondernemen. Anders kan de mogelijkheid om uw rechten te effectueren verlopen zijn. Als u bijvoorbeeld een geschil aan een geschillencommissie wilt voorleggen, geldt er een termijn waarbinnen u dat moet hebben gedaan. Bovendien moet u schriftelijk hebben geklaagd en de tegenpartij een termijn hebben geboden om te reageren. Stap niet meteen naar de rechter, maar begin op een zo laag mogelijk niveau. Probeer eerst zelf met de tegenpartij tot overeenstemming te komen. Laat desnoods iemand anders daarin bemiddelen. Komt u er samen uit, dan kan dat veel geld en tijd schelen, wat misschien opweegt tegen een wat minder resultaat. Bovendien wordt hulp op een hoger niveau soms pas verstrekt als u eerst heeft geprobeerd zelf het geschil op te lossen. Ook de rechter kan dit bij zijn uitspraak laten meetellen.

1.4c Verdere stappen

Er zijn verschillende instanties waar u kunt aankloppen als u er met de tegenpartij niet uitkomt.

Mediation

Bij mediation wordt er gezocht naar een uitkomst waar alle betrokkenen zich in kunnen vinden. Die oplossing hoeft niet altijd op juridische gronden gebaseerd te zijn. Mediation kost doorgaans €100 tot €200 per uur, wat de partijen gezamenlijk betalen. Dat is niet niks, maar een gang naar de rechtbank is ook duur, zeker als u de hulp van een advocaat in moet roepen.

Er zijn mediators voor allerlei beroepsgroepen, bijvoorbeeld voor onderwijs of gezondheidszorg. Via de Nederlandse Mediatorsvereniging kunt u een mediator vinden die goed past bij uw geschil. Ook kunt u controleren of een mediator gecertificeerd is (kijk voor meer informatie op www.mediatorsvereniging.nl).

Bereid iedere bijeenkomst met een mediator goed voor en bedenk ook wat voor de ander relevant kan zijn en hoe u elkaar tegemoet kunt komen.

Tip

Tips voor een klachtenbrief

- Volg de klachtenprocedure van de onderneming. Die procedure is te vinden in de algemene voorwaarden of in de productovereenkomst. U kunt er ook naar vragen. Vaak staan de voorwaarden op de website van de onderneming. Let op eventuele termijnen waarbinnen u de klacht moet indienen.
- Draai er niet omheen. Geef in de eerste zin al aan waarover de klacht gaat. Omschrijf vervolgens concreet de inhoud van uw klacht. Vergeet niet te vermelden wat u verlangt van de tegenpartij. Doe een voorstel.
- Houd het zakelijk en concreet. Laat de emoties in uw brief niet de overhand krijgen. Houd de zinnen kort.
- Vraag om een schriftelijke reactie binnen een redelijke termijn; twee weken is gebruikelijk.
- Voorzie de brief van een datum en van uw contactgegevens, zoals uw adres, telefoonnummer(s) en e-mailadres.
- Stuur kopieën van belangrijke stukken als bijlage mee met uw brief. Bijvoorbeeld de offerte, overeenkomst of een contract. Bewaar de originele stukken thuis.
- Maak een kopie van de brief voor uw eigen administratie.
- Heeft u hulp nodig bij het schrijven van een klachtenbrief? Op www.consumentenbond.nl/voorbeeldbrieven vindt u voorbeeldklachtenbrieven die u kunt gebruiken.

Klachtencommissies

Er zijn tientallen klachtencommissies, sommige zijn door een branche of beroepsgroep opgericht, maar ze kunnen bijvoorbeeld ook verbonden zijn aan een ziekenhuis. Deze commissies doen een tuchtrechtelijke uitspraak over de beroepsuitoefening van de aanbieder. Elke klachteninstantie heeft haar eigen procedures. Informatie daarover is doorgaans te vinden op de website van de betreffende instantie.
Er zijn ook commissies die als zodanig in de wet zijn geregeld, bijvoorbeeld de Huurcommissies en de Nationale ombudsman (voor klachten

over overheidsinstanties). De Consumentenbond heeft geen bemoeienis met deze instanties.

Heldere claimhulp

Er zijn verschillende organisaties actief die zeggen dat ze belangeloos procederen voor genoegdoening, zoals bij de woekerpolisaffaire. Maar hoe kunt u het kaf van het koren scheiden? Dat doet u bijvoorbeeld door te kijken of deze stichtingen en verenigingen de Claimcode volgen. Deze gedragscode, opgesteld op initiatief van de Consumentenbond, is sinds juli 2011 van kracht. Er staat onder meer in beschreven hoe een stichting of vereniging ervoor kan zorgen dat het bestuur goed is geregeld en dat er een raad van toezicht moet zijn die controleert of er zorgvuldig met het geld van de deelnemers wordt omgegaan. De claimcode is geen kwaliteitskeurmerk, maar wel een aanwijzing dat de organisatie zijn werk op een behoorlijke manier doet.

De Geschillencommissie

De Geschillencommissie (zie Adressen) biedt uitkomst bij diverse consumentenklachten. U kunt hier alleen terecht als de verkoper rechtstreeks of via de brancheorganisatie is aangesloten bij De Geschillencommissie. Voorwaarde is dat u eerst uw klacht schriftelijk bij de verkoper kenbaar heeft gemaakt. Komt u er samen niet uit, dan kunt u De Geschillencommissie inschakelen. De Consumentenbond is partner van De Geschillencommissie. U kunt uw klacht via een onlineformulier indienen. Zodra u klachtengeld heeft betaald, wordt uw zaak in behandeling genomen. De hoogte van het klachtengeld is afhankelijk van de inhoud van uw klacht en de hoogte van het factuurbedrag. U hoeft geen advocaat in te schakelen. De Geschillencommissie vraagt de leverancier om een reactie op uw klacht en schakelt eventueel een onafhankelijke deskundige in. Er vindt meestal een hoorzitting plaats, waarin alle partijen een mondelinge toelichting kunnen geven. Het is niet verplicht hierbij aanwezig te zijn, maar wel aan te bevelen. Binnen vier tot zes weken na de hoorzitting volgt de uitspraak. Die uitspraak is bindend: hoger beroep is niet mogelijk. Wel kunnen partijen de uitspraak ter toetsing aan de rechter voorleggen.

Naar de rechter

Als u een rechtszaak wilt beginnen, moet u via een gerechtsdeurwaarder een dagvaarding naar de gedaagde sturen. Die mag daar schriftelijk of

mondeling op reageren. De rechter kiest daarna de vervolgprocedure. Dat kan een tweede schriftelijke ronde zijn, waarbij de eiser reageert op het verweer van de gedaagde, of een hoorzitting, waarbij beide partijen voor de rechter moeten verschijnen. Soms doet de rechter meteen uitspraak. Een procedure bij de rechter kost tijd en geld. Vorderingen tot €25.000 en klachten over huur- en arbeidsovereenkomsten worden afgehandeld door de sector kanton van de rechtbank. U hoeft daarvoor geen advocaat in de arm te nemen en alleen de eiser betaalt griffierechten.
Overige zaken belanden bij de rechtbank. Daar betalen beide partijen griffierechten en moet u een (dure) advocaat inschakelen. Hoeveel griffierecht u moet betalen, is afhankelijk van de soort rechtszaak en uw inkomen. Op www.rechtspraak.nl, onder 'Procedures', 'Tarieven griffierecht' vindt u de bedragen. Er zijn plannen om het griffierecht kostendekkend te maken; dat zou een forse verhoging betekenen.
Bij spoedeisende zaken kunt u een kort geding aanspannen. Doet u dit bij de sector kanton van de rechtbank, dan is inschakeling van een advocaat niet verplicht. Dient het kort geding bij de rechtbank, dan moet u als eiser wel een advocaat nemen. Als gedaagde hoeft dat dan niet, maar het is wel toegestaan.

Tip

Nieuw: de eKantonrechter!

Mede dankzij inspanningen van de Consumentenbond is het mogelijk om via de eKantonrechter een zaak digitaal voor te leggen, te voeren en te volgen. Dat is handig en scheelt tijd: u hoeft alleen voor de mondelinge behandeling naar de rechter en de procedure duurt maar acht weken. Een advocaat inschakelen mag, maar is niet verplicht.
De eKantonrechter behandelt alleen relatief eenvoudige civiele zaken over 'wonen, werken en winkelen', omdat uitvoerig onderzoek in deze procedure niet mogelijk is. De rechter beslist of een zaak zich voor een digitale afhandeling leent. Voorwaarde is dat beide partijen het eens moeten zijn met een digitale afhandeling én ermee akkoord gaan dat zij niet in hoger beroep kunnen gaan tegen de uitspraak.
De hoogte van het griffierecht is vooralsnog gelijk aan die voor de normale procedure bij de kantonrechter. Overigens is het wel zo dat bij gebruikmaking van de eKantonrechter geen deurwaarder behoeft te worden ingeschakeld voor het uitbrengen (en eventueel ook laten

opstellen) van een dagvaarding. Dat scheelt dus wel de daarmee gepaard gaande kosten.
De eKantonrechter is nu nog alleen toegankelijk voor rechtsbijstandsverzekeraars en advocaten met een rekening-courantverhouding met de rechtspraak. De rechtspraak doet zo ervaring op met digitaal procederen met vertegenwoordigers van burgers en/of bedrijven. In de loop van de zomer van 2014 krijgen ook bedrijven toegang tot de eKantonrechter. Vanaf dan kan iedereen zaken digitaal indienen, voeren en volgen. Burgers krijgen met hun DigiD toegang tot de beveiligde pagina van de eKantonrechter via loket.rechtspraak.nl. Bedrijven en organisaties krijgen toegang via eHerkenning.
De zaken worden voorlopig behandeld door de rechtbanken in Oost-Brabant (locatie 's-Hertogenbosch) en Rotterdam (locatie Rotterdam).

Informatie over rechtspraak

Meer informatie over de verschillende gerechtelijke procedures vindt u op www.rechtspraak.nl/naar-de-rechter.

02 IN DE WINKEL

Als u iets koopt – in de winkel, via internet of aan de deur –, kan er het een en ander misgaan. Wat er mis kan gaan en hoe u eventuele problemen oplost, leest u hier.

SCHAT... IS €150,= NIET EEN BEETJE PRIJZIG VOOR EEN ROMPERTJE ?
MAAR 'T IS HÉÉL DUURZAAM 'HET GAAT WEL 20 JAAR MEE', ZEI DE VERKOOPSTER!
GIANT

Eerst vertellen we u meer over uw rechten bij een aankoop in een winkel. Daarna leest u wat u kunt doen als een product ondeugdelijk blijkt te zijn. Vervolgens komen de belangrijkste wettelijke regels aan bod voor kopen op afstand, colportage en kopen in het buitenland.

2.1 Consumentenkoop

Als u als consument in een winkel een product koopt, is dat een consumentenkoop. U sluit voor privédoeleinden een koopovereenkomst met de verkoper. Bij een consumentenkoop gaat het altijd om een roerende zaak, bijvoorbeeld een wasmachine of een bank. Ook het in opdracht laten maken van een bril of een meubelstuk valt hieronder, maar het kopen van een huis of een stuk grond niet, dat zijn onroerende zaken.

ip

Getuige

Neem iemand mee als u van plan bent een grote aankoop te doen. Mocht er later onenigheid ontstaan, dan kan diegene als getuige optreden.

2.1a Overeenkomst

Een koopovereenkomst is een schriftelijke of mondelinge afspraak tussen u en de winkelier, die voor u beiden rechten en plichten met zich meebrengt. U moet de afgesproken prijs betalen en de winkelier moet een deugdelijk product leveren.

Het Burgerlijk Wetboek zegt daarover in boek 7, artikel 17, lid 1 en 2:

1. De afgeleverde zaak moet aan de overeenkomst voldoen.
2. Een zaak beantwoordt niet aan de overeenkomst indien zij, mede gelet op de aard van de zaak en de mededelingen die de verkoper over de zaak heeft gedaan, niet de eigenschappen bezit die de koper op grond van de overeenkomst mocht verwachten. De koper mag verwachten dat de zaak de eigenschappen bezit die voor normaal gebruik nodig zijn en waarvan hij de aanwezigheid niet behoefde te betwijfelen, alsmede de eigenschappen die nodig zijn voor bijzonder gebruik dat bij de overeenkomst is voorzien.

Deugdelijk?

Vooral het tweede lid van het wetsartikel is belangrijk: u heeft als consument recht op een deugdelijk product. Dat wil zeggen: een product dat gedurende een bepaalde tijd aan alle eisen voldoet die u daaraan bij normaal gebruik mag stellen én aan bijzondere eisen als die bij de koop zijn vastgelegd. Kortom: de wasmachine moet het gewoon doen en u mag niet door de bank zakken.

Als een product niet voldoet aan de verwachtingen die u ervan mag hebben, is het ondeugdelijk en is de verkoper (en niet de fabrikant) daarvoor aansprakelijk. U heeft namelijk met de verkoper een koopovereenkomst gesloten en dat betekent dat hij wettelijk verplicht is u een deugdelijk product te leveren. Als er iets mis is met het product, mag u verwachten dat hij met een oplossing komt. Hij mag u niet doorverwijzen naar de fabrikant.

Wat uw rechten zijn bij een ondeugdelijk product, leest u in par. 2.2.

€150 door de gootsteen

De inbouwvaatwasser van Maarten Schermer Voest uit Gouda begeeft het. Hij koopt een nieuwe bij Whirlpool, dat ook voor de bezorging en installatie zorgt. Maar dat installeren blijkt een probleem. Het aanrechtblad moet worden gelicht en die klus mag de door Whirlpool ingehuurde firma Vlot niet uitvoeren.

Daarop belt Schermer Voest de verkoper van de keuken, Mandemakers, en die zet voor €150 de vaatwasser in een handomdraai op zijn plek. Let wel: zonder het blad te lichten! Dat is €150 door de gootsteen, want dan had Vlot het ook wel kunnen doen.

Whirlpool biedt aan de helft te vergoeden, maar dat vindt Schermer Voest onterecht. 'Moet ik betalen voor het gebrek aan expertise van Vlot?' Stekeligheden mengt zich in de kwestie. Vooruit, sputtert Vlot dan, mijnheer krijgt de hele montage vergoed, hoewel 'we ons hier niet toe verplicht achten'. Waarvan akte.

Stekeligheden, Consumentengids maart 2014

Verwachtingen

Wat u precies van een product mag verwachten, is afhankelijk van een aantal factoren, waaronder de prijs, mededelingen van de verkoper en fabrikant, aangegeven levensduur en plaats van aankoop. Als u in een dure boetiek een jas van €1000 koopt, mag u daar natuurlijk meer van verwachten dan van een jas die u voor €50 op de markt afrekent. En als de fabrikant in een reclamefolder beweert dat een jas waterdicht is, mag u ervan uitgaan dat dit klopt. Maar elke jas, ongeacht kwaliteit of prijs, zal ooit slijten. Normale slijtage maakt een product niet ondeugdelijk. Hoelang u een product probleemloos moet kunnen gebruiken, is lastig aan te geven. Om toch enig houvast te bieden, staan in tabel 1 een paar voorbeelden van de levensduur van producten.

Tabel 1 Geschatte levensduur

Apparaat	Levensduur in jaren
geluidsapparatuur (niet draagbaar)	8 - 10
mobiele telefoon	3 - 5
fiets	5 - 10
gasfornuis	10 - 15
kleurentelevisie	8 - 10
koelkast	8 - 10
pc en monitor	3 - 5
stofzuiger	5 - 8
videorecorder	5 - 8
wasmachine	8 - 10
kleding	1 - 4
tapijt	3 - 5
meubelen	3 - 8

Kleine lettertjes

Als u een overeenkomst met een verkoper sluit, gelden meestal algemene voorwaarden, ook wel 'kleine lettertjes' genoemd. Deze zijn door de verkoper opgesteld en bevatten onder andere informatie over de betaling, de garantie, aansluiting bij een brancheorganisatie en de klachtenregeling. In de voorwaarden zijn dus allerlei belangrijke zaken rond de koop geregeld.

U zit aan deze voorwaarden vast, maar de verkoper moet u wel de gelegenheid geven er kennis van te nemen voordat u de koop sluit. Als hij dat niet heeft gedaan, kunt u de voor u ongunstige bepaling(en) in de voor-

waarden vernietigen. U zegt dan tegen de verkoper dat u de algemene voorwaarden niet van tevoren heeft kunnen inzien en dat de ongunstige bepaling(en) daarom niet voor u gelden.
Algemene voorwaarden bij een overeenkomst over langere termijn bevatten vaak een wijzigingsbeding. Hierdoor kan de ondernemer de algemene voorwaarden aanpassen aan veranderende omstandigheden; zo kan bijvoorbeeld de prijs, inhoud van de dienstverlening of contractduur gewijzigd worden. Zonder wijzigingsbeding mag de ondernemer de algemene voorwaarden in principe niet wijzigen. Verder moeten de gronden voor de wijziging in de algemene voorwaarden zijn vermeld en moet er een redelijke termijn zijn verbonden aan de inwerkingtreding van de wijziging.
De ondernemer moet de gewijzigde voorwaarden tijdig bij u kenbaar maken, bijvoorbeeld door de gewijzigde voorwaarden naar u toe te sturen. Een algemeen bericht of vermelding in een krant is niet voldoende.
Houdt de ondernemer zich niet aan bovenstaande regels, dan kunt u de nieuwe voorwaarden nietig verklaren en heeft u recht op voortzetting van de overeenkomst onder de oude voorwaarden. Als de ondernemer daarmee niet akkoord gaat of als het niet mogelijk is de overeenkomst voort te zetten onder de oude voorwaarden, heeft u het recht de overeenkomst te beëindigen.
Verder stelt de wet dat er in de algemene voorwaarden geen onredelijke bepalingen mogen staan. Een onredelijke bepaling is bijvoorbeeld dat de verkoper zijn aansprakelijkheid bij een ondeugdelijk product uitsluit. Een onredelijke bepaling kunt u altijd vernietigen, ook als u die vooraf heeft kunnen inzien.
De wetgever heeft een 'grijze' en een 'zwarte' lijst opgesteld met onredelijk bezwarende algemene voorwaarden. Deze lijsten zijn opgenomen in artikel 236 en 237 van het Burgerlijk Wetboek.

Onredelijk

Als uw nieuwe houten vloer niet in orde is en vervangen moet worden, waardoor u tijdens het leggen noodgedwongen een paar dagen in een vakantiehuisje moet verblijven, is de winkelier volgens de wet aansprakelijk voor deze kosten. Een bepaling in zijn voorwaarden waarin hij zijn aansprakelijkheid voor deze gevolgschade uitsluit, is onredelijk.

Sikkeneurig

Wat mag je verwachten van een scheerapparaat van €162? In elk geval niet dat het na ruim twee jaar stukgaat, net buiten de garantietermijn. Wim Elshout uit Drunen belt, mailt en schrijft de klantenservice van Panasonic diverse malen. Maar die houdt vol na de garantietermijn niets voor de klant te kunnen doen.
Elshout krijgt er een sik van. 'Ik voel me als trouwe klant in de kou staan', mailt hij Stekeligheden. Wij wijzen Panasonic erop dat een apparaat met zo'n prijs zeker wel drie tot vijf jaar moet meegaan.
De persvoorlichter schrikt. Nou goed, mijnheer had eigenlijk naar de winkel gemoeten, maar ze zijn de beroerdste niet. Dus krijgt Elshout het hele aankoopbedrag teruggestort. Zo lost Panasonic het alsnog heel gladjes op.
Stekeligheden, Consumentengids april 2014

2.1b Aanbetalen

De wet zegt dat een verkoper in zijn voorwaarden maximaal de helft van het aankoopbedrag als aanbetaling mag vragen. Of u daarop ingaat, is aan u. Wij raden u aan zo min mogelijk aan te betalen en in ieder geval niet meer dan 50%.
Als u een aanbetaling doet, mag u op uw beurt zekerheid verlangen. Anders bent u namelijk uw geld kwijt als de verkoper na de aanbetaling failliet gaat. In de algemene voorwaarden is dan bijvoorbeeld geregeld dat de branche garant staat voor nakoming van de verplichtingen van de verkoper.
Is er niets geregeld, dan moet u zelf afwegen of u het risico wilt lopen dat u de aanbetaling bij een faillissement kwijt bent. Denk hier niet te licht over, zeker niet als het om een groot bedrag gaat.

2.1c Garantie

Over garantie bestaan veel misverstanden. Eigenlijk betekent het afgeven van garantie dat de verkoper of fabrikant instaat voor de kwaliteit van een product, bijvoorbeeld gedurende een jaar. Uw wettelijk recht op een deugdelijk product geldt echter altijd, ook ná de garantieperiode.

Wijziging in voorwaarden

Vaak staan er in de garantiebepalingen van een fabrikant of verkoper allerlei uitsluitingen. U krijgt bijvoorbeeld wel nieuwe onderdelen vergoed, maar de montage daarvan moet u zelf betalen. Die uitsluitingen mogen erin staan, want garantie is niet iets waar u recht op heeft. Het is een extra service van de fabrikant of de verkoper, waaraan hij zijn eigen voorwaarden mag verbinden. Maar zijn wettelijke plichten mag hij niet uitsluiten!

Eerst lezen

Een garantiebepaling kan u over de streep trekken om een aankoop te doen, maar laat u niet verblinden. Lees eerst de garantievoorwaarden goed door en laat u niet blij maken met een dooie mus.

Voordeel garantie

Garantie biedt u een duidelijk voordeel. Als u er in de garantieperiode achter komt dat het product niet deugt, mag u ervan uitgaan dat er al iets mis was toen u het kocht en hoeft u dat niet te bewijzen. De garantieverstrekker (bijvoorbeeld de fabrikant of de verkoper) moet dan aantonen dat het gebrek is ontstaan door uw toedoen. Dit wordt het 'wettelijk bewijsvermoeden' genoemd.

Deze omkering van de bewijslast is overigens ook opgenomen in de wetgeving: 'Een gebrek dat zich binnen zes maanden na aankoop van een product openbaart, wordt geacht aanwezig te zijn geweest op het moment van aankoop.'

De verkoper hoeft uw schuld overigens niet te bewijzen bij producten die korter dan zes maanden meegaan, zoals etenswaren en wegwerpartikelen, bij artikelen die bij de koop al duidelijk zijn beschadigd en bij planten en dieren die een speciale verzorging nodig hebben.

Fabrieks- of verkopersgarantie

U kunt garantie van de fabriek of van de verkoper krijgen. Bij aankoop sluit u een overeenkomst af met de verkoper, niet met de fabrikant. Die laatste heeft daarom meer mogelijkheden om allerlei voorwaarden en beperkingen aan de garantie te verbinden. Het voordeel van een fabrieksgarantie kan zijn dat deze langer geldt.

Het is bijvoorbeeld mogelijk dat u bij fabrieksgarantie wel arbeidsloon moet betalen als een product met garantie moet worden gerepareerd. Zo'n bepaling vindt u terug in de garantievoorwaarden. Voor kosten die niet door de fabrieksgarantie worden gedekt, moet u bij de verkoper zijn, want met hem heeft u wél een overeenkomst gesloten. Ga daarom bij problemen altijd eerst naar de verkoper.

Omdat het zo belangrijk is, benadrukken we nog een keer: u heeft wettelijk gezien altijd recht op een deugdelijk product. Aan dit recht kan de garantie die u bij aankoop van een product krijgt, nooit afbreuk doen. Al maakt u gebruik van de fabrieks- of verkopersgarantie, u behoudt uw wettelijke rechten.

ip

Garantiewijzer

Op www.consumentenbond.nl/garantiechecker staat de Garantiechecker. Door de vragen te doorlopen, krijgt u snel uitsluitsel over uw recht op garantie. Hier vindt u ook voorbeeldbrieven.

2.1d Flexibele prijs

Het kan gebeuren dat de prijs van een product dat u heeft besteld bij levering hoger of lager is. Welke prijs geldt dan?
In principe bent u de prijs verschuldigd die gold op het moment waarop u de overeenkomst heeft gesloten. Er zijn uitzonderingen op deze regel, bijvoorbeeld als de prijs is gestegen vanwege verhoging van de btw of een andere wettelijke maatregel. De verkoper moet zich dan aan de wet houden en u moet de hogere prijs betalen.
En hoe zit het met pakketreizen waarbij de vervoerskosten door hogere brandstofprijzen (inclusief de brandstoftoeslag), belastingen of heffingen na boeking zijn gestegen? Als op de reisovereenkomst de ANVR-reisvoorwaarden van toepassing zijn, geldt dat de reisorganisator de reissomverhoging tot 20 dagen vóór de vertrekdatum mag doorbelasten als de volledige reissom nog niet is voldaan. Als de reis wel volledig is betaald, mag de organisator geen verhoging doorberekenen vanaf 6 weken vóór de dag van vertrek (bij eigen vervoer: voor de aankomstdatum van het eerstgeboekte verblijf). Er geldt dan een prijsgarantie. Voor reisovereenkomsten uitgevoerd met een chartervlucht naar Euro-

pese bestemmingen en Middellandse Zee-landen geldt een prijsgarantie vanaf het moment dat de reisovereenkomst is vastgelegd.
Bij losse tickets is het afhankelijk van de algemene voorwaarden van de dienstverlener (vaak de luchtvaartmaatschappij) of u de hogere prijs moet betalen.
Voor prijsverhogingen geldt in het algemeen: als in de algemene voorwaarden staat dat de verkoper de prijs mag verhogen en hij dit ook daadwerkelijk doet, heeft de koper het recht de koop te ontbinden, tenzij ze hebben afgesproken dat de levering langer dan drie maanden na aankoop plaatsvindt.

2.2 Ondeugdelijk product

Na de aankoop van een product kan er van alles mis gaan: het product doet het helemaal niet of het voldoet niet aan de verwachtingen die u op basis van de prijs en de uitingen van de fabrikant over de kwaliteit mocht hebben. Wat kunt u dan doen?

Droogpak?

Livera heeft najaarsopruiming. Mooi, denkt Janny van der Schans uit Hoogezand, en koopt er een badpak voor €35. Voor haar wekelijkse baantjes in het zwembad, vertelt ze de verkoopster. Maar na een maand of twee is het badpak een 'uitgerekt vod', aldus Van der Schans. Geen wonder, zeggen de Liveraverkoopsters, dit badpak kan niet tegen chloorwater. Er is een speciale categorie badpakken met het label 'chloorbestendig'; had ze daar maar naar moeten kijken. Van der Schans voelt zich slecht geïnformeerd en vindt het kolder. Stekelighe-den ook en waagt er een mailtje aan.
De Livera Klantenservice sputtert eerst tegen, maar biedt Van der Schans dan 'uit coulance' Liverabonnen ter waarde van €35 aan. Nu op naar Livera om een badpak te kopen dat wél nat mag worden...
Stekeligheid, Consumentengids januari 2014

2.2a Hij doet het niet!

Hoe kunt u het best reageren als een product niet aan uw verwachtingen voldoet?

- Ga eerst na of de klacht door uw toedoen is ontstaan. Als u uw camera heeft laten vallen en hij is stuk, kunt u de winkelier natuurlijk niet aansprakelijk stellen.
- Bestudeer de koopovereenkomst, algemene voorwaarden en garantiebepalingen. Inventariseer welke afspraken u heeft gemaakt met de verkoper en bepaal of uw klacht gegrond is.
- Zet op een rijtje wat uw klacht precies inhoudt. Bijvoorbeeld: het apparaat werkt niet of niet goed, is beschadigd, vertoont schoonheidsfouten, is niet compleet, werkt niet zoals de verkoper heeft toegezegd of zoals is beloofd in de reclame.
- Bedenk welke oplossing u wilt voor het probleem, bijvoorbeeld herstel of vervanging van het product of nalevering van ontbrekende onderdelen. Uw keuze kan worden beperkt door de verkoper: als herstel simpeler en goedkoper is dan vervanging, mag hij daarvoor kiezen. Als herstel of vervanging niet mogelijk is, mag u eventueel kiezen voor prijsvermindering of ontbinding van de overeenkomst. Zie ook hierna.
- Neem zo snel mogelijk contact op met de verkoper en volg daarbij de klachtenprocedure van het bedrijf. U moet de winkelier namelijk altijd de kans geven het probleem op te lossen. Wettelijk gezien heeft u na ontdekking van het gebrek twee maanden de tijd om contact op te nemen. Leg uw klacht voor aan de winkelier en stel de door u gewenste oplossing voor. U spreekt de verkoper hiermee aan op zijn verplichting een deugdelijk product te leveren.
- De verkoper moet die verplichting binnen een redelijke termijn nakomen, zonder ernstige overlast en kosten voor de koper. Welke termijn redelijk is, hangt af van de situatie. Wees duidelijk over uw klacht en laat u niet intimideren of afschepen.
- Vraag bedenktijd als u twijfelt over de geboden oplossing.
- Komt de aanbieder niet binnen een redelijke termijn met een (bevredigende) oplossing, stuur hem dan een brief of e-mail waarin u de klacht en gewenste oplossing opnieuw voorlegt (zie het kader 'Dit moet in uw brief' op de volgende pagina). Sla de e-mail op in een aparte map of bewaar een kopie van de brief. Gebruik niet het contactformulier op de website van de aanbieder.
- Is het financiële belang groot, of twijfelt u eraan of men uw brief wel wil ontvangen, verstuur deze dan aangetekend met ontvangstbeves-

tiging. U kunt de brief natuurlijk ook bij de afdeling Klantenservice of bij de kassa afgeven en daar voor ontvangst laten tekenen. Dat is goedkoper, afhankelijk van uw reisafstand.

- Stuur geen originele bewijzen mee, maar kopieën.
- Maak kopieën van alle correspondentie over een klacht.
- Reageert de verkoper niet binnen de gestelde termijn, dan kunt u overwegen een brief te sturen met een hardere insteek. U kunt daarin beroep doen op het recht op ontbinding van de overeenkomst of aangeven dat u overweegt juridische stappen te ondernemen. Reageert de verkoper wel, maar komt hij niet met een (bevredigende) oplossing, probeer dan te onderhandelen. Het bespaart tijd en wellicht geld als u er samen uitkomt. Let op dat deze fase niet te lang duurt, met het oog op vervolgprocedures.
- Bewaar bewijsstukken, zoals rekeningoverzichten, verzend- en betaalbewijzen minstens vijf jaar.
- Probeer niet boos te worden: met overleg bereikt u meestal meer.

Tip

Dit moet in uw brief

Een goede brief is kort en zakelijk en bevat in elk geval:

- **een beschrijving van uw klacht;**
- **de gewenste oplossingen;**
- **toezeggingen die eerder zijn gedaan (inclusief de datum en naam van de medewerker met wie u gesproken heeft);**
- **de termijn waarbinnen u een reactie, herstel, terugbetaling of schadevergoeding verwacht;**
- **de vervolgstappen die u zult ondernemen als het probleem niet (voldoende) wordt opgelost.**

Goed bewaren

Berg aankoopbewijzen, contracten en bijhorende informatie, zoals garantievoorwaarden, goed op. Dat voorkomt bewijsproblemen, mocht het tot een geschil komen.

Kassabonnen kunnen in de loop der tijd verkleuren of verbleken. Hierdoor worden ze onleesbaar. Maak er daarom kopieën van.

Laat toezeggingen die tijdens de verkoop worden gedaan zwart-op-wit zetten en bewaar die informatie.

Herstel of vervanging
Bij een ondeugdelijk product moet het apparaat kosteloos worden gerepareerd of vervangen. Hoe sneller een gebrek zich voordoet, hoe groter uw recht daarop. In par. 2.1c heeft u bovendien kunnen lezen dat u bij een gebrek binnen zes maanden niet hoeft te bewijzen dat het om een fabrieksfout gaat. De verkoper moet bewijzen dat het gebrek door uw schuld is ontstaan. Na zes maanden na aankoop moet u wél aantonen dat u het apparaat normaal heeft gebruikt en dat het desondanks stuk is gegaan.
Meestal zult u de voorkeur aan een nieuw apparaat geven, maar de verkoper mag voor reparatie kiezen als vervanging veel duurder is dan herstel of als het gebrek makkelijk te repareren is.
De reparatie van een product kan voor veel overlast zorgen, denk bijvoorbeeld aan een koelkast die u een tijdje moet missen. De verkoper is volgens de wet verplicht tot nakoming 'zonder ernstige overlast'. Hij kan de overlast voor u beperken door u bijvoorbeeld een leenexemplaar aan te bieden of door de reparatie met spoed uit te voeren.

Derde defect

Als Yvonne Weterings uit Geertruidenberg een kopje koffie wil zetten, begeeft haar drie jaar oude Philips Saeco koffiemachine (nieuwprijs: €1200) het. Weterings zucht diep, want dit is al het derde defect. 'Geen probleem', zegt Philips, 'valt onder de garantie'. Maar volgens het reparatiecentrum kost herstel €326. Veel te veel, vindt Weterings, en ze mailt de klantenservice. Die komt met een 'oplossing': de oude machine omruilen voor een nieuwe. Weterings hoeft dan 'slechts' €310 bij te betalen.
Geen afdoende oplossing, vindt ook Stekeligheden. Uiteindelijk komt Philips met een beter voorstel: voor €100 bijbetaling krijgt Weterings, tot haar tevredenheid, de nieuwste versie van het koffiezetapparaat.
Stekeligheden, Consumentengids februari 2014

Niet te vervangen of te repareren
Als een product niet te vervangen of te repareren is, mag u de overeenkomst ontbinden. Dat wil zeggen dat u en de verkoper allebei uw verplichtingen ongedaan maken. U geeft het product terug of stelt de verkoper in de gelegenheid het te komen ophalen en hij geeft u

uw geld terug. U hoeft geen genoegen te nemen met een tegoedbon. Als u de overeenkomst wilt ontbinden, deelt u dit de verkoper bij voorkeur schriftelijk mee. In de praktijk zal hij daar niet altijd mee akkoord gaan. In dat geval zult u naar een geschillencommissie moeten. Als de verkoper niet bij een geschillencommissie is aangesloten, kunt u naar de rechter (zie par. 1.4c).

Voorwaarden voor ontbinding

U kunt een overeenkomst alleen ontbinden als:

- **u de verkoper eerst de gelegenheid heeft geboden het product te herstellen of te vervangen en hij dat niet binnen een redelijke termijn doet (niet willen of niet kunnen maakt niet uit);**
- **het product na herhaalde herstelpogingen nog steeds niet werkt;**
- **als het om een klacht van 'niet geringe' betekenis gaat; bij bijvoorbeeld een klein krasje of kleine weeffout kunt u de overeenkomst niet ontbinden.**

Ontbinden mag u volgens de wet dus ook als de verkoper van mening is dat hij helemaal geen verplichtingen hoeft na te komen en hij dus niet aan een oplossing van uw klacht wil meewerken.

Deel van de koopsom inhouden

Als u een ondeugdelijk product nog niet of niet volledig heeft betaald en de winkelier wil niets met uw klacht doen, kunt u een deel van het aankoopbedrag inhouden om de druk te verhogen. U moet de winkelier dan schriftelijk laten weten dat u het resterende deel betaalt zodra hij aan zijn verplichtingen heeft voldaan. Het ingehouden deel moet wel in verhouding staan tot de aard en de ernst van de klacht.

Prijsvermindering

Wat kunt u doen als herstel of vervanging niet mogelijk is, maar de klacht niet ernstig genoeg is om de overeenkomst te mogen ontbinden?
Uw nieuwe bankstel vertoont bijvoorbeeld aan de achterkant een paar flinke weeffouten. De verkoper heeft u een nieuwe bank aangeboden, maar die is helaas niet meer leverbaar. De weeffouten zitten niet in het zicht en u kunt goed op de bank zitten, dus de bank is op zichzelf wel deugdelijk.

Volgens de regels rond consumentenkoop kunt u de koopovereenkomst wel gedeeltelijk ontbinden. U krijgt dan een deel van uw geld terug. De verkoper zal hier meestal mee instemmen, omdat het voor hem een relatief makkelijke en goedkope oplossing is.
Als u het niet eens wordt over het kortingsbedrag, kunt u overwegen een onafhankelijke deskundige voor advies in te schakelen. U moet dan wel samen afspreken wie die deskundige is, bijvoorbeeld een verkoper uit dezelfde branche. U kunt ook de brancheorganisatie om advies vragen. Bedenk wel dat een deskundige zijn advies niet altijd gratis geeft. Spreek van tevoren goed af wie de kosten voor zijn rekening neemt.
Als de verkoper niet akkoord gaat met uw verzoek een derde te laten oordelen, kan dat een teken zijn dat hij niet zo zeker is van zijn zaak. Laat dan toch een deskundige uw klacht bekijken en zijn bevindingen op papier zetten. U staat dan sterker als u de verkoper probeert te overtuigen of als u de overeenkomst alsnog wilt ontbinden. U kunt ook overwegen een geschillencommissie in te schakelen (zie par. 1.4c). Die stuurt zelf een deskundige. Dat kost u niets. U bent hoogstens uw klachtengeld kwijt als uw klacht onterecht is.

Vergoeding bij vervanging
Wat te doen als een product het na langere tijd laat afweten? Veel mensen weten niet dat je van een televisie mag verwachten dat hij bij normaal gebruik langer dan drie jaar meegaat. Ook als de televisie na drie jaar kapotgaat, heeft u nog rechten. U heeft wettelijk gezien recht op herstel of vervanging.
Ga dus, liefst met aankoopbon, terug naar de winkel waar u het product gekocht heeft. Vertel dat u ook na drie jaar nog recht heeft op een deugdelijk apparaat. De verkoper kan bij de fabrikant of importeur navragen wat de levensduur van de tv is. Dat kunt u ook zelf doen (noteer altijd de naam van degene met wie u gesproken heeft).
Voor een reparatie of een nieuw product hoeft u niet bij te betalen. Moet u van de verkoper wel bijbetalen, dan mag u de koopovereenkomst ontbinden. U heeft er recht op dat u uw geld terugkrijgt. Soms krijgt u niet het hele bedrag terug, bijvoorbeeld als u het product al een lange tijd zonder problemen heeft kunnen gebruiken.
Bij een klein gebrek, zoals een kras op een nieuw product, is het de vraag of u kunt ontbinden of dat u alleen een korting kunt vragen. Dat hangt

af van de situatie. Een kras op een mobiele telefoon of een lcd-scherm is vervelender dan een kras op een wasmachine.
De levensduur van een apparaat speelt een rol bij het vaststellen van de hoogte van uw gebruiksvergoeding. Dat is de vergoeding voor het gebruik dat u van het apparaat heeft gemaakt (afschrijving). Is de levensduur van een televisie bijvoorbeeld tien jaar en gaat het apparaat na drie jaar kapot, dan betaalt u als gebruiksvergoeding 3/10 deel van het oorspronkelijke aankoopbedrag. U krijgt immers weer een nieuwe televisie. Zie ook tabel 1 bij par. 2.1a.

Bijbetalen niet verplicht

U kunt met de verkoper afspreken dat u een bepaald bedrag zelf betaalt. Dat is soms redelijk. Bijvoorbeeld als uw televisie na jaren kapotgaat en u nu een nieuwe krijgt. Of dat u een deel van de reparatiekosten betaalt als uw oudere koelkast na de reparatie nog zeker een extra aantal jaren meegaat. Maar of u bijbetaalt, kunt u zelf beslissen. U bent niet verplicht om daarmee akkoord te gaan.

Vergoeding bij reparatie

Stel: uw wasmachine begeeft het na vier jaar. U neemt contact op met de winkel waar u de wasmachine gekocht heeft. De monteur die bij u langskomt, vertelt dat hij de machine kan repareren, maar dat de reparatie wel een paar honderd euro gaat kosten. Wat zijn in deze situatie uw rechten? Als u de wasmachine lange tijd op een normale manier heeft kunnen gebruiken en de levensduur van de wasmachine door de reparatie verlengd wordt, is het redelijk dat u een deel van de reparatiekosten betaalt. Heeft de wasmachine volgens de fabrikant een economische levensduur van acht jaar, dan betaalt u na vier jaar dus de helft van de reparatiekosten. Ook als het gebrek (gedeeltelijk) door u veroorzaakt is – bijvoorbeeld omdat de wasmachine niet helemaal waterpas stond, u hem extreem vaak gebruikte of vergeten bent het zeefje regelmatig schoon te maken – is het redelijk (een deel van) de reparatiekosten te betalen.
Onderhoudskosten vanwege normale slijtage maken een product niet ondeugdelijk: die komen gewoon voor uw rekening.
Alleen als u niets te verwijten valt, als u het gebrek niet op deze termijn had mogen verwachten en een reparatie de levensduur van het product

niet verlengt, heeft u een ondeugdelijk product gekregen. Dan mag u van de verkoper verwachten dat hij de machine kosteloos voor u repareert. U hoeft dan ook geen bijkomende kosten voor onderzoek, voorrijden of transport te betalen.
Tot zover de theorie. In de praktijk zal het niet altijd meevallen de verkoper van uw gelijk te overtuigen. Omdat er al meer dan zes maanden na de aankoop zijn verstreken, ligt de bewijslast bij u. U moet aantonen dat de wasmachine ondeugdelijk is en dat het defect niet is veroorzaakt door de manier waarop u de machine heeft gebruikt.
U kunt de fabrikant of importeur raadplegen om erachter te komen wat de mogelijke oorzaak van het gebrek is. Ook kunt u overwegen een geschillencommissie in te schakelen. Al met al is dit niet simpel.
Een wat praktischer optie is om voor vervanging te kiezen met bijbetaling van een gebruiksvergoeding. Een verkoper zal daar sneller mee instemmen.

Garantie

Misschien heeft u garantie op het ondeugdelijke product gekregen. Als de garantietermijn nog niet is verlopen, hoeft u bij uw wettelijk recht op ruilen of repareren niet te bewijzen dat het gebrek niet door uw toedoen is ontstaan.
Controleer goed wat de garantievoorwaarden precies inhouden en welke beperkingen ze eventueel kennen. Ga daarna altijd eerst naar de verkoper, ook als u fabrieksgarantie heeft. U heeft met hem immers een verkoopovereenkomst gesloten en hij kan niet afwijken van uw wettelijke recht op een deugdelijk product.
De verkoper moet ervoor zorgen dat het product naar de fabrikant wordt gestuurd en door hem wordt hersteld of vervangen. Als daaraan volgens de garantievoorwaarden kosten zijn verbonden, mag de verkoper zich niet achter de fabrikant verschuilen en moet hij deze kosten vergoeden.

Ruilen

Over het ruilen van producten bestaan veel misverstanden bij consumenten en verkopers. Het ruilen van goederen waar niets mis mee is, maar die u bij nader inzien niet mooi vindt, is geen recht, maar een gunst van een winkelier. Hij kan aan het ruilen dus voorwaarden verbinden. Zo kunt u vaak alleen ongebruikte en onbeschadigde spullen binnen een bepaalde termijn ruilen.

Als u geen vervangend product naar uw smaak kunt vinden, krijgt u soms een tegoedbon, die u zult moeten accepteren. Grote winkelbedrijven gaan in hun service soms verder en geven u het aankoopbedrag terug. Als een product ondeugdelijk is, hoeft u nooit genoegen te nemen met een tegoedbon.

Tip

Kijk verder dan de verkoper

Verkopers in grote winkelketens zijn vaak slecht op de hoogte van uw rechten. Als het bij een klacht niet lukt een verkoper van uw rechten te overtuigen, schrijf dan een brief naar de klantenservice van het bedrijf of naar de afdeling Consumentenzaken van de juridische dienst van het bedrijf. Die kennen de wettelijke regels wel.

2.2b Schade door ondeugdelijk product

Een gebrekkig product of een verkeerde installatie ervan is niet alleen vervelend, maar kan ook voor schade zorgen. Wat kunt u dan het best doen?

Als de verkoper het product heeft geïnstalleerd of heeft laten installeren, is hij aansprakelijk voor de schade. Neem contact met hem op en vertel wat er aan de hand is. Stuur hem vervolgens een brief waarin u uw klacht bevestigt, hem aansprakelijk stelt voor de schade en meldt dat u daarvoor een vergoeding wilt. De verkoper moet de kans krijgen om zelf een en ander te beoordelen. Laat het product dus niet repareren voordat de verkoper het heeft gezien.

Maak de kosten die u heeft moeten maken om alles in de oude staat te herstellen aannemelijk door (afschriften van) rekeningen of offertes mee te sturen. U kunt ook uw eigen verzekering inschakelen om een schaderapport te maken.

Verder kunt u de verkoper aansprakelijk stellen voor andere, bijkomende kosten. Stel dat de wasmachine uw kleren heeft vernield. Naast de vergoeding van de kleren heeft u ook recht op vergoeding van de kosten van de wasserette, omdat u zonder wasmachine zat. U moet dan wel kunnen aantonen dat u die kosten heeft gemaakt. Bewaar daarom de kassabonnen van de wasserette.

Overigens moet u de omvang van de schade wel zo beperkt mogelijk houden. Is uw kookplaat bij normaal gebruik na anderhalf jaar helemaal op en duurt de vervanging vier weken, dan kunt u de winkelier aansprakelijk stellen voor redelijke kosten die u moet maken omdat u niet in staat bent een behoorlijke maaltijd te koken. U zult begrijpen dat diners in tweesterrenrestaurants niet onder de noemer redelijke kosten vallen. Ook als u schade lijdt doordat u een product zelf heeft geïnstalleerd en de schade te wijten is aan ondeugdelijke installatievoorschriften, kunt u de verkoper hierop aanspreken.

Hoe vorder ik schadevergoeding?

- **Stel de ondernemer in gebreke door hem per brief te verplichten de overeenkomst na te komen. Zet er een redelijke termijn in. Op www.consuwijzer.nl/voorbeeldbrieven vindt u voorbeeldbrieven die u kunt gebruiken.**
- **Schort als het kan (een deel van) de betaling op totdat de ondernemer zijn plicht is nagekomen. Laat de ondernemer dit ook weten en zeg dat u het restant zult voldoen zodra hij geleverd heeft.**
- **Komt de ondernemer zijn verplichtingen niet na, eis dan schadevergoeding en ontbind eventueel de overeenkomst.**
- **Komt u er met de ondernemer niet uit, schakel dan een geschillencommissie (www.degeschillencommissie.nl), de rechtsbijstandsverzekering, het Juridisch Loket (www.juridischloket.nl) of de rechter in.**
- **U bent verplicht de schade zo veel mogelijk te beperken.**

2.2c Schade door onveilig product

Schade kan ook ontstaan door een onveilig product. Denk aan een lekkende babykruik die een brandwond veroorzaakt, een ontploffende snelkookpan die een ravage in uw keuken aanricht of een wasdroger die in de brand vliegt, waardoor uw kleren verbranden.
Voor deze schade gelden andere regels dan bij schade door een ondeugdelijk product. Bij schade tot €500 is de verkoper aansprakelijk. Voor grotere schade of schade in de vorm van persoonlijk letsel moet u bij de fabrikant zijn. Voor de vergoeding van het kapotte, onveilige product zelf moet u weer bij de verkoper aankloppen.

Tip

Onveilig product?

Vragen of klachten over de veiligheid van producten of voeding kunt u stellen bij de Nederlandse Voedsel- en Warenautoriteit (zie www.nvwa.nl).

2.2d Te laat bezorgd

Op sommige producten zit een levertijd. De koopovereenkomst is wel al gesloten, maar u kunt nog niet over het product beschikken. Wat als de winkelier zich niet aan de levertijd houdt? De vraag of u een exacte of vermoedelijke levertijd heeft afgesproken, is hier cruciaal. We geven van beide een voorbeeld.

- U koopt een bed en spreekt met de verkoper af dat het over ongeveer vier weken wordt geleverd. Hier is sprake van een *vermoedelijke* levertijd. Als deze termijn is verstreken, moet u de woninginrichter alsnog in de gelegenheid stellen het bed binnen een redelijke, exacte termijn te leveren. Leg dit schriftelijk vast om bewijsproblemen achteraf te voorkomen.
  Als de verkoper het bed na de tweede termijn nog niet heeft geleverd, is hij in verzuim. U kunt nog latere levering van het bed weigeren en de winkelier aansprakelijk stellen voor daaruit voortvloeiende (en aantoonbare) schade. U kunt de koop dan ontbinden.
  Het bedrag dat u (aan)betaald heeft, moet op uw rekening worden teruggestort. U kunt ook overwegen akkoord te gaan met een nog latere levering en daarvoor een korting proberen te bedingen.
- U koopt een beamer die niet uit voorraad leverbaar is en spreekt met de winkelier af dat hij op 15 september 2014 wordt geleverd. Hier gaat het om een *exacte* levertijd: de datum ligt vast.
  Wordt de beamer niet op 15 september geleverd, dan is de verkoper direct in verzuim. U hoeft hem geen gelegenheid meer te geven binnen een redelijke termijn alsnog aan zijn leveringsplicht te voldoen. U hoeft de beamer niet meer af te nemen en kunt de verkoper aansprakelijk stellen voor aantoonbare schade die u door zijn tekortkoming lijdt, bijvoorbeeld de huur van een vervangende beamer. U heeft wel de plicht om de schade zo veel mogelijk te beperken.

Kopen op een veiling

Voor een product dat u op een veiling koopt, gelden dezelfde regels als voor producten die u in een winkel koopt. Sinds 13 juni 2014 heeft u bij aankopen via een onlineveiling een bedenktermijn van 14 dagen, omdat dit onder koop op afstand valt. Zie par. 2.3.

Tip

Incassokosten

Als u te laat bent met betalen, mag een bedrijf incassokosten in rekening brengen, bijvoorbeeld voor het inschakelen van een incassobureau. Sinds juli 2012 gelden hiervoor Europese regels, die gunstig zijn voor de consument:

- **Er gelden vaste percentages voor de incassokosten die berekend mogen worden.**
- **Andere kosten (aanmaningskosten, administratiekosten enzovoort) mogen niet in rekening worden gebracht.**
- **Voordat incassokosten in rekening mogen worden gebracht, moet u een aanmaning krijgen, waarna u 14 dagen de tijd heeft om de openstaande rekening te betalen.**

2.3 Koop op afstand

In de Wet koop op afstand zijn regels opgenomen die onder andere toezien op de aankopen waarbij een consument geen rechtstreeks persoonlijk contact heeft met de koper. Denk aan onlineaankopen en aankopen via een postorderbedrijf of telemarketing. Als u telefonisch iets bij een gewone winkel bestelt, valt dat niet onder kopen op afstand, want u kunt wel naar die winkel gaan.

Overigens gelden voor een aankoop via internet dezelfde regels als voor een gewone koop in de winkel. Dat betekent dat u recht heeft op goede producten en diensten. Voldoet uw aankoop niet aan de verwachtingen, dan kunt u de leverancier daarop aanspreken. Hij moet wettelijk gezien goede producten leveren. U mag een ondeugdelijk product dus terugsturen; de verzendkosten zijn voor rekening van de leverancier.

2.3a Herroepingsrecht

De belangrijkste regel bij kopen op afstand is dat u als consument bedenktijd heeft, waarbinnen u de overeenkomst kunt ontbinden (herroepingsrecht). Sinds 13 juni 2014 geldt voor heel Europa de aangescherpte Richtlijn Consumentenrechten, waarin een bedenktijd van 14 dagen is vastgelegd. Binnen deze termijn kunt u op uw beslissing om het product te kopen of de dienst af te nemen, terugkomen.

De afkoelingsperiode begint op de dag nadat u het product heeft ontvangen. Bij dienstverlening gaat de bedenktijd in vanaf het sluiten van de overeenkomst. Herroeping is ook mogelijk voordat u het product geleverd krijgt, dus voordat de bedenktijd ingaat. Valt het eind van de 14 dagen in het weekend of op een feestdag, dan eindigt de bedenktijd pas op de eerstvolgende werkdag.

Niet zo sportief

Ruim voor de verjaardag van zijn voetbalgekke zoontje koopt Ferry Loeffen uit Hernen een Chelseatenue bij www.voetbalwarenhuis.com. De verjaardag gaat voorbij zonder dat de webwinkel levert. Loeffen probeert veelvuldig contact op te nemen met het bedrijf, maar krijgt telkens geen gehoor. Stekeligheden krijgt na een tijdje wel contact, met de nieuwe eigenaar van de webwinkel: 'We betreuren dit, maar de vorige eigenaar moet deze klacht oplossen.' Alleen heeft die laatste daar weinig zin in.

Wat Voetbalwarenhuis betreft mag Loeffen zijn 'rechtsbijstandsverzekering inschakelen om de oude eigenaar aansprakelijk te stellen'. Dat doet Voetbalwarenhuis zelf namelijk ook. Na vier maanden van elkaar de bal toespelen, belooft de voormalige eigenaar alsnog een tenue. Dat komt een maand later, maar in de verkeerde maat en ook nog van het verkeerde seizoen. Een heel onsportief spelletje met alleen maar verliezers.

Stekeligheden, Consumentengids april 2014

Alleen voor nieuwe transacties

De nieuwe regels in het consumentenrecht, waaronder die voor kopen op afstand, gelden niet voor overeenkomsten die vóór 13 juni 2014 zijn afgesloten.

Tip

Meer dingen besteld?

Als u verschillende producten tegelijk bestelt die niet tegelijkertijd worden geleverd, gaat uw bedenktijd pas in nadat u het laatste product van de bestelling heeft ontvangen.

Informatieplicht

De (web)winkelier moet consumenten goed over het herroepingsrecht informeren. Hij moet de volgende informatie verplicht geven:

- De voorwaarden, termijn en wijze waarop het herroepingsrecht kan worden gebruikt.
- De mededeling dat de consument de kosten voor het terugzenden van de goederen betaalt bij ontbinding van de overeenkomst (sommige webwinkels betalen die kosten zelf).
- Indien relevant: de vermelding van de kosten voor het terugzenden als de goederen niet per 'gewone post' kunnen worden teruggestuurd.
- De mededeling dat de consument redelijke kosten moet betalen voor diensten die hij binnen de bedenktermijn herroept, maar die binnen de bedenktermijn al zijn begonnen of geleverd.
- Het 'modelformulier voor herroeping', waarmee de consument zijn herroeping kenbaar kan maken.
- De informatie dat de consument geen herroepingsrecht heeft of mogelijkerwijs verliest (alleen in de situaties dat er geen herroepingsrecht is, zoals bij een dienst waarbij de consument akkoord is dat deze binnen de bedenktijd wordt uitgevoerd, digitale content, zoals downloaden van een film of muziek, of verbreken van de verzegeling van cd of dvd).

Gebruikmaken herroepingsrecht?

Als u van uw herroepingsrecht gebruik wilt maken, moet u dit aan de winkelier bekendmaken (al dan niet via het modelformulier voor herroeping). U hoeft hierbij geen reden op te geven. Vervolgens heeft u nog eens 14 kalenderdagen de tijd om het product terug te sturen.
Vult u op de website van de winkel een elektronisch formulier in? Dan moet de webwinkelier onmiddellijk een bevestiging terugmailen.

!

Zichttermijn is geen probeertermijn

U moet tijdens de bedenktijd wel voorzichtig met de toegezonden zaak omgaan. Zolang u nog niet besloten heeft het product te houden, mag u het niet echt gebruiken. Ook als u het product meer heeft gebruikt dan nodig is om te beoordelen of u het wilt houden, geldt uw herroepingsrecht. De webwinkelier heeft in dat geval wel recht op vergoeding van de waardevermindering.

Zodra u de webwinkelier heeft laten weten dat u op uw besluit terugkomt, heeft hij in principe 14 dagen de tijd om uw gedane betalingen terug te storten (waaronder ook de bezorgkosten die hij in rekening heeft gebracht). Hij mag wachten met terugbetalen totdat hij het product daadwerkelijk terug heeft gekregen óf tot u een bewijs kunt overleggen dat u het heeft teruggestuurd.
Het kan zijn dat de kosten van het terugsturen voor uw rekening komen. U moet daar dan van tevoren goed over zijn geïnformeerd. Doet de ondernemer dat niet (juist), dan komen de retourkosten alsnog voor zijn rekening.

Extra bezorgkosten

Als u heeft gekozen voor een duurdere manier van bezorgen, hoeft de winkelier alleen de standaardbezorgkosten terug te betalen als u van uw herroepingsrecht gebruikmaakt.

Er gelden wat de bedenktijd betreft nog enkele specifieke regels voor diensten waarvoor op afstand een overeenkomst afgesloten is. Als u een dienstverlener specifiek heeft verzocht u te bezoeken om dringende werkzaamheden te verrichten, heeft u geen recht op bedenktijd. Als daarbij extra werkzaamheden worden verricht of zaken worden geleverd waar u niet om heeft gevraagd, geldt wel een bedenktijd.
Een consument heeft ook geen recht op bedenktijd bij diensten die al tijdens de bedenktijd volledig zijn nagekomen. Dit geldt alleen als is voldaan aan de volgende twee voorwaarden:

1. De consument heeft uitdrukkelijk toestemming gegeven voor het begin van de nakoming tijdens de bedenktijd.
2. De consument heeft verklaard afstand te doen van de bedenktijd zodra de dienst is nagekomen.

In andere gevallen houdt u recht op bedenktijd bij diensten die al tijdens de bedenktijd zijn begonnen, zoals een telefoonabonnement of de levering van gas, water of elektriciteit. De dienstenovereenkomst kan dan dus herroepen worden. Het kan wel zijn dat in sommige gevallen een vergoeding in rekening wordt gebracht voor al geleverde diensten. Dat mag onder de volgende voorwaarden:

- de webdienstverlener heeft voldaan aan zijn informatieverplichtingen over de bedenktijd;
- de consument heeft vooraf uitdrukkelijk verzocht om aanvang van de dienst tijdens de bedenktijd;
- de webdienstverlener heeft de consument vooraf geïnformeerd over de vergoeding die hij moet betalen als hij besluit te ontbinden.

De vergoeding die de webdienstverlener in rekening brengt, moet wel redelijk zijn.

Tip

Abonnement

De bedenktijd bij een kranten- of tijdschriftabonnement start op het moment dat u de eerste krant of het eerste tijdschrift heeft ontvangen.

Uitzondering herroepingsrecht

Het herroepingsrecht geldt niet altijd. Er zijn een aantal uitzonderingen:

- Producten die gemaakt worden 'overeenkomstig de specificaties van de consument', bijvoorbeeld een maatpak of een op maat gemaakte kast.
- Producten die duidelijk persoonlijk van aard zijn. Bijvoorbeeld foto's van personen of sieraden met een speciale gravering.
- Producten die snel kunnen bederven of verouderen. Denk aan vers voedsel en verse dranken of bloemen.
- Losse exemplaren van kranten of tijdschriften.
- Diensten, zoals vakantieaccommodatie, goederenvervoer, autoverhuur, catering of vrijetijdsbesteding (bioscoopkaartjes). Maar alleen als bij het sluiten van de overeenkomst een datum of periode is afgesproken.
- Producten die niet geschikt zijn om te worden teruggestuurd vanwege hygiënische of gezondheidsredenen en die daarom verzegeld zijn, zoals bij ondergoed en badkleding, en waarbij de consument de verzegeling heeft verbroken.
- Audio- en video-opnamen en computerprogrammatuur waarvan de consument de verzegeling heeft verbroken (bijvoorbeeld verzegelde cd's of dvd's).

- Zaken of diensten waarvan de prijs gebonden is aan schommelingen op de financiële markt waar de verkoper geen invloed op heeft. Bijvoorbeeld goud of aandelen.
- Zaken die na levering door hun aard onherroepelijk vermengd zijn met andere zaken. Bijvoorbeeld beton, zand of aarde die in de tuin wordt gestort.
- De levering van alcoholische dranken, mits:
  - de prijs is afgesproken op het moment dat de consument bestelt;
  - levering 30 dagen of langer na bestelling plaatsvindt;
  - de werkelijke waarde van de drank afhankelijk is van schommelingen van de markt waarop de webwinkelier geen invloed heeft.

Niet voor gokken en reizen

Bepaalde overeenkomsten vallen niet onder de nieuwe regels en daar geldt dus ook de bedenktijd niet voor. U kunt denken aan overeenkomsten die betrekking hebben op gokactiviteiten, kansspelen, weddenschappen en loterijen en pakketreizen.

Tip

Ook voor internetveilingen

Volgens de nieuwe richtlijn geldt ook voor producten en diensten die op onlineveilingen worden gekocht bedenktijd.

Retourneren

Als u een product binnen de bedenktijd terugstuurt, ligt het risico van het terugsturen bij u. U kunt een kostbaar product daarom het best aangetekend, eventueel zelfs verzekerd, retourneren. Bewaar het bewijs van verzending.

Meestal staat in de algemene voorwaarden hoe u producten moet retourneren, soms gelden speciale regels voor kostbare en kwetsbare spullen. Veel bedrijven hebben eigen bezorgdiensten en halen zelf hun spullen terug. Vanaf dat moment draagt de verkoper het risico weer.

Tip

Keurmerken

U geniet extra bescherming als u koopt bij een winkel die het Thuiswinkelwaarborg voert. Postorderbedrijven en internetwinkels met dit keurmerk houden zich namelijk aan de Algemene Voorwaarden van de Nederlandse Thuiswinkel Organisatie. Deze zijn opgesteld in samenwerking met de Consumentenbond. De voorwaarden zijn conform de wet en regelen uw rechten en plichten op een redelijke en voor de consument betrouwbare manier. Ze zijn begin juni 2014 vernieuwd, zie www.thuiswinkel.org voor meer informatie.
Een ander belangrijk voordeel is dat u een klacht die u niet samen met de leverancier weet op te lossen, kunt voorleggen aan de Geschillencommissie Thuiswinkel, onderdeel van De Geschillencommissie (zie Adressen).
Webwinkels kunnen ook aangesloten zijn bij de stichting Webshop Keurmerk (www.keurmerk.info). Ook dit keurmerk hanteert consumentvriendelijke algemene voorwaarden. De stichting is aangesloten bij De Geschillencommissie, met een eigen Geschillencommissie Webshop.

2.3b Informatieplicht webwinkelier

In par. 2.3a heeft u kunnen lezen dat de webwinkelier verplicht is u vooraf te informeren over uw herroepingsrecht. Daarnaast moet hij de volgende informatie geven voordat u door de koop op afstand bent gebonden.

- De voornaamste kenmerken van de goederen of de diensten.
- De identiteit van de handelaar: zijn handelsnaam, het adres waar de handelaar is gevestigd, telefoonnummer, fax en e-mailadres en, voor zover dat verschilt van het voorgaande, het adres van de bedrijfsvestiging van de handelaar waaraan de consument eventuele klachten kan richten.
- De totale prijs van de goederen of diensten inclusief belastingen. Als de prijs redelijkerwijs niet vooraf kan worden berekend, moet de manier waarop de prijs wordt berekend vermeld worden.
- Alle extra vracht-, leverings- of portokosten en eventuele andere kosten. Indien deze kosten redelijkerwijs niet vooraf kunnen worden berekend, moet de verkoper het feit dat er eventueel dergelijke extra kosten verschuldigd kunnen zijn, vermelden.
- Bij een overeenkomst van onbepaalde duur of abonnement: de totale kosten per factureringsperiode. Indien voor de overeenkomsten een

vast tarief van toepassing is, omvat de totale prijs ook de totale maandelijkse kosten.

- De kosten voor het gebruik van middelen voor communicatie op afstand wanneer deze kosten op een andere grondslag dan het basistarief worden berekend.
- De wijze van betaling, levering en uitvoering en de termijn waarbinnen de handelaar zich verbindt het goed te leveren of de dienst te verlenen.
- Een herinnering aan het feit dat de geleverde zaak moet voldoen aan de overeenkomst en de vermelde specificaties.
- De duur van de overeenkomst of (bij automatische verlenging) de voorwaarden voor het opzeggen van de overeenkomst.
- De klachtmogelijkheden, zoals toegang tot buitengerechtelijke klachten- en geschilbeslechtingsprocedures.

Aan het eind van het bestelproces moet de klant uitdrukkelijk en prominent zichtbaar worden meegedeeld dat hij door het sluiten van de overeenkomst een betalingsverplichting op zich neemt.

Tip

Gefinancierd?

Als een financieringsovereenkomst aan de koop van het product is gekoppeld, wordt die automatisch ontbonden als u de koopovereenkomst ontbindt.

Digitale zaken?

Bij digitale inhoud die online wordt besteld, zoals computerprogramma's, toepassingen, spellen, muziek, video's en teksten, moet de webwinkel u vooraf informeren over:

- **de functionaliteit van de digitale inhoud met inbegrip van toepasselijke technische beveiligingsvoorzieningen;**
- **de manier waarop de digitale inhoud met andere hardware en software communiceert.**

Al deze informatie moet de webwinkelier in duidelijke en begrijpelijke taal verstrekken en op een manier die past bij de gebruikte middelen voor communicatie op afstand (zie het kader 'Ook op de smartphone?').

Als de informatie op de website staat, moet ze gemakkelijk vindbaar zijn, zodat de consument alle tijd heeft om haar te lezen voordat hij iets gaat bestellen.

Ook op de smartphone?

Op een pc met een groot beeldscherm hebben websites voldoende ruimte om de verplichte informatie duidelijk en begrijpelijk over te brengen. Op kleinere schermen van smartphones en tablets zijn de mogelijkheden beperkter. Al kun je je afvragen of de schermgrootte bij de huidige generatie smartphones en tablets daadwerkelijk een belemmering vormt voor het duidelijk informeren van consumenten. Tegelijkertijd zijn de ontwikkelingen op het gebied van communicatiemiddelen natuurlijk nog altijd in volle gang. Denk bijvoorbeeld aan de opkomst van de Smart Watch of Google Glass.
In essentie vindt de wetgever dat de positieve ontwikkelingen in e-commerce niet mogen worden belemmerd door wettelijke informatieplichten voor communicatiemiddelen die daartoe slechts beperkte ruimte bieden. Daarom is er een uitzondering op de strenge informatieplicht in het leven geroepen. Die uitzondering houdt rekening met 'beperkingen van het platform of medium dat wordt gebruikt om de koop op afstand te sluiten'. Als er door het gebruikte platform of medium niet genoeg ruimte is om alle informatie vooraf te geven, hoeft niet alle informatie onmiddellijk verschaft te worden. Deze regeling stelt wel minimumeisen aan de informatieverstrekking. De belangrijkste (precontractuele) informatie moet wel onmiddellijk worden aangeboden. Dat zijn de voornaamste kenmerken van de aangeboden goederen of diensten, de identiteit van de handelaar, de totale prijs, het herroepingsrecht, de duur van de overeenkomst en de voorwaarden om de overeenkomst op te zeggen.
Daarnaast moet de webwinkelier de informatie voortaan actief en op een duurzame gegevensdrager aan de consument aanbieden. Er moet een eenvoudige mogelijkheid worden geboden de informatie te printen of downloaden of de winkelier moet een (bevestigings)mail sturen met daarin de complete informatie.

De webwinkelier kan er ook voor kiezen informatie vooraf te verstrekken op een 'duurzame gegevensdrager'. De consument kan de informatie dan printen, downloaden of opslaan zolang hij wil, zodat hij alles terug kan lezen. In het bijzonder wordt bedoeld: papier, (bevestigings)e-mail, usbsticks, cd-roms, dvd's, geheugenkaarten en harde schijven van computers. Doet de webwinkelier dit niet vooraf, dan moet hij de informatie alsnog op een duurzame gegevensdrager meesturen bij de bevestiging van de overeenkomst, bij het leveren van de goederen of voordat de verrichting van de dienst begint.

Onvoldoende geïnformeerd?

Als de webwinkelier de consument onvoldoende of onjuist informeert, zijn daar verschillende consequenties aan verbonden:

- Extra vracht- en leveringskosten en de kosten voor het terugzenden van de goederen komen voor rekening van de webwinkelier als u hierover vooraf niet of onvoldoende bent geïnformeerd.
- U bent niet verplicht de kosten voor deels uitgevoerde diensten te betalen wanneer u onvoldoende bent geïnformeerd over uw herroepingsrecht.
- Een ondernemer moet u altijd informeren over de bedenktijd. Hij moet u ook een formulier geven dat u kunt invullen als u van de koop af wilt. Als de verkoper deze informatie niet geeft, wordt de bedenktijd automatisch verlengd met een jaar. Als u deze informatie pas later krijgt, is de bedenktijd vanaf dat moment nog 14 kalenderdagen.
- U bent niet aan de overeenkomst gebonden wanneer de webwinkelier u er onvoldoende op heeft gewezen dat uw bestelling een betaalverplichting inhoudt. Denk aan de bestelknop met betaalverplichting.

Tip

Extra weetjes over de nieuwe wetgeving

- **Buitensporig veel geld vragen voor een klantenservicenummer mag niet meer. Wanneer een bestaande klant telefonisch contact opneemt over de overeenkomst, mag dit niet meer kosten dan het lokale tarief. Worden kosten per gesprek gerekend, dan mogen die niet hoger zijn dan €1 per gesprek plus de normale belkosten.**
- **Vooraf aangevinkte vakjes zijn niet toegestaan: de consument moet uitdrukkelijk instemmen met de aankoop van extra's.**
- **Direct voordat de consument een bestelling plaatst, moet een overzicht van de bestelling worden gegeven.**
- **De webwinkelier mag kosten rekenen voor de betaling, maar niet meer dan wat het hem kost.**

Vette pech

Strak de zomer in, dat wil Kelly Deurhof uit Zeist wel. Ze bestelt bij Tel Sell de SlimFreezer, die 'met de kracht van koude lipolyse' lichaamsvet verbrandt. Helaas doet het ding na één keer gebruiken niets meer. Ze levert hem in, maar Tel Sell zegt dat hij wel werkt en stuurt hem weer terug.
Wat Deurhof ook doet, de SlimFreezer weigert dienst. Tel Sell wil geen geld teruggeven en houdt €2,50 'verwerkingskosten' in. Na veel vijven en zessen mag Deurhof haar aankoop terugsturen. Nu haar eerste betaling van €49,95 nog terugkrijgen.
In plaats van haar geld terug, krijgt ze een aanmaning. Tel Sell kan op zijn beurt een aanmaning van Stekeligheden niet negeren en geeft Deurhof €58 terug. Heeft ze niet voor niets gewacht tot ze een ons woog.
Stekeligheden, Consumentengids juni 2014

2.3c Levering en risico

De nieuwe Europese regels voor verkoop op afstand hebben ook betrekking op de levering van een product of dienst en het risico dat een product bijvoorbeeld beschadigd arriveert. Die regels gelden ook voor colportage (verkopen buiten de winkel), waarover u in par. 2.4 meer leest.

Levertijd

Na het sluiten van de overeenkomst moet het product binnen 30 dagen geleverd worden. U kunt natuurlijk samen met de ondernemer een andere termijn afspreken.
Is er geen andere termijn afgesproken en wordt het product niet binnen 30 dagen geleverd? Dan moet u hem een herinnering sturen en hem in gebreke stellen. Vraag hem alsnog te leveren en geef hem daarvoor een redelijke termijn. Als hij daarna nog niet levert, kunt u de overeenkomst ontbinden. De ondernemer moet dan direct alles wat u betaald heeft, terugbetalen.
U hoeft de ondernemer niet in gebreke te stellen als:
- hij heeft geweigerd de producten te leveren;
- aflevering binnen de afgesproken termijn essentieel is, bijvoorbeeld bij een bruidsjurk;

- u voor het sluiten van de overeenkomst heeft aangegeven dat levering voor of op een bepaalde datum essentieel is.

In deze gevallen kunt u de overeenkomst direct ontbinden.

Risico bij levering
Bij levering van een product gaat er soms iets mis. Het raakt kwijt of beschadigd. De ondernemer draagt in principe het risico voor het product, totdat u het heeft ontvangen.
Heeft u aangegeven dat het product ook bij een ander mag worden geleverd, bijvoorbeeld bij de buren? Dan draagt u het risico vanaf het moment dat het product bij hen wordt geleverd. Het maakt dan dus niet uit dat u het product zelf nog niet heeft ontvangen.
Heeft u niet aangegeven dat het product bij de buren kan worden bezorgd, maar gebeurt dit toch? Dan gaat het risico voor beschadiging en verlies pas op u over zodra u het product heeft opgehaald bij de buren.
Als het product door een ander, bijvoorbeeld een vervoerder, wordt geleverd, zijn er twee situaties mogelijk:

- U kiest zelf voor een bepaalde vervoerder. Het risico gaat zodra het pakket is overgedragen, over van de ondernemer op de vervoerder.
- De ondernemer kiest voor een vervoerder of biedt verschillende vervoerders aan waar u uit kunt kiezen. Het risico blijft bij de ondernemer totdat het product bij u is afgeleverd.

2.3d Telemarketing

Een speciale vorm van verkoop op afstand is telemarketing. Daarbij wordt een product of dienst telefonisch verkocht. Vaak bent u daar helemaal niet op voorbereid. Daarom gelden er extra regels, zodat u beschermd bent tegen misleiding of agressieve verkoop via de telefoon.

Regels over de informatie
Direct aan het begin van het telefoongesprek moet de verkoper zijn naam noemen en u informatie geven over het bedrijf waar hij namens belt en het commerciële doel van het gesprek. Komt er op basis van het gesprek een overeenkomst tot stand, dan is die overeenkomst in een aantal situaties alleen geldig als ze schriftelijk wordt bevestigd. Dit wordt ook wel het schriftelijkheidsvereiste genoemd en geldt bij:

- overeenkomsten op afstand tot het geregeld verrichten van diensten, bijvoorbeeld een abonnement voor cv-onderhoud of een abonnement op een sportschool;
- overeenkomsten tot het geregeld leveren van elektriciteit, gas, water of stadsverwarming.

De ondernemer moet zijn telefonische aanbod dan schriftelijk aan de consument bevestigen. Die tekent het aanbod of stuurt zijn schriftelijke instemming aan de ondernemer. Alleen dan is de consument gebonden aan het aanbod.
De consument kan ook per e-mail instemmen met het aanbod. Of het aanbod printen, zijn handtekening zetten en het daarna aan de ondernemer per post of per e-mail toesturen.

Bedenktijd
Na het ondertekenen van het contract heeft u een bedenktijd van 14 dagen. De bedenktijd gaat in op de datum van ondertekening van het contract. Bij gemengde overeenkomsten (koop en dienst) gaat de bedenktijd pas in na ontvangst van het product.

Leveren dienst tijdens de bedenktijd
De ondernemer kan de dienst al tijdens de bedenktijd leveren, maar alleen op uitdrukkelijk verzoek van de consument. De consument mag de overeenkomst dan nog steeds binnen de bedenktermijn ontbinden. Hij moet wel een vergoeding betalen voor de al geleverde diensten.

2.4 Uw rechten bij colportage

In alle gevallen waarbij een verkoper het initiatief neemt en zichzelf uitnodigt, bijvoorbeeld als hij u een product aan de deur verkoopt of op een besloten verkoopdemonstratie (aan huis), is sprake van colportage en geldt de Colportagewet. Daarin wordt de consument beschermd, zodat hij niet wordt overrompeld door deze, vaak agressieve, verkoopmethoden. Sinds medio juni 2014 gelden ook hiervoor aangescherpte Europese regels. In Europees verband wordt overigens niet gesproken van colportage, maar van 'overeenkomsten gesloten buiten verkoopruimten'. Wij gebruiken gemakshalve de term 'verkoop buiten de winkel'.

In het kader 'Welke overeenkomsten?' ziet u dat de wettelijke regels niet alleen meer op verkoop aan de deur en verkoopdemonstraties slaan. Op www.acm.nl vindt u meer informatie over de nieuwste Europese regels.

Alleen boven de €50!

De regels voor verkoop buiten de winkel gelden alleen voor overeenkomsten vanaf €50. Bij een overeenkomst voor een lager bedrag geldt de bescherming dus niet.

Welke overeenkomsten?

Onder verkoop buiten de verkoopruimte vallen de volgende situaties:

- Verkoop aan de deur.
- Straatverkoop, waaronder:
  - het op straat een aanbod doen aan de consument;
  - het op straat aanspreken en benaderen van een consument. Het sluiten van de overeenkomst gebeurt direct erna in de winkel.
- Verkoop tijdens verkoopdemonstraties op uitnodiging van de ondernemer. Dit gebeurt vaak tijdens dagtochten en busreizen.
- Verkoop tijdens verkoopdemonstraties in horecagelegenheden of een andere plek buiten de gebruikelijke verkoopruimte van een ondernemer.
- Verkoop tijdens verkoopdemonstraties bij iemand thuis. Ook als de consument de ondernemer heeft uitgenodigd.
- Het sluiten van een overeenkomst bij een bezoek aan de consument thuis, voor een dienst die wordt uitgevoerd. Bijvoorbeeld een schilder, glazenwasser of tuinman. Het maakt niet uit of dit op uitnodiging van de consument is.

De regels gelden niet als er alleen een berekening van de kosten wordt gemaakt en de overeenkomst pas later wordt gesloten.
Zoals u ziet, vallen marktkramen, bestelwagens en stands op beurzen er niet onder. Hiervoor gelden de regels voor gewoon winkelen.

2.4a Informatieplicht

De Europese regels schrijven voor dat de consument uitgebreide informatie hoort te krijgen bij verkoop buiten de winkel. Die informatie moet begrijpelijk, duidelijk en goed leesbaar zijn, zodat u haar rustig terug kunt lezen.

Allereerst is de colporteur verplicht aan te geven dat zijn werkzaamheden gericht zijn op verkoop van een product, dienst of goederenkrediet. Iemand die bij u aan de deur een enquête afneemt, mag u niet onder dat mom ook iets verkopen. Daarnaast gelden nog veel meer informatieverplichtingen.

Algemene informatieverplichtingen

Onder de algemene informatieverplichtingen van een verkoper buiten de winkel vallen:

- de voornaamste kenmerken van het product of de dienst;
- de naam van de ondernemer;
- het bezoekadres van de ondernemer; alleen een postadres is niet genoeg;
- indien van toepassing: naam en bezoekadres van de tussenpersoon én de naam en het bezoekadres van de onderneming waarvoor hij verkoopt;
- de totale prijs van het product of de dienst;
- als er kosten worden berekend voor bellen of andere soorten van communicatie met de ondernemer die hoger zijn dan het basistarief, moeten die vermeld worden;
- de wijze van betaling, levering of uitvoering;
- levertijd van het product of de dienst;
- klachtenafhandeling.

Informatieverplichtingen over het ontbinden van de overeenkomst

De verkoper moet ook specifieke informatie geven over de mogelijkheden tot ontbinding van de overeenkomst:

- de bedenktijd of het ontbreken daarvan (zie par. 2.4b);
- op welke manier, binnen welke termijn en onder welke voorwaarden de overeenkomst ontbonden kan worden én het modelformulier voor ontbinding;
- omstandigheden waaronder u afstand doet van uw recht van ontbinding, bijvoorbeeld bij dringende herstelwerkzaamheden of als verkoper en consument afspreken dat de dienst geheel wordt uitgevoerd binnen de bedenktijd;
- kosten die verbonden zijn aan het ontbinden van de overeenkomst, bijvoorbeeld verzendkosten als een product teruggestuurd wordt;

- als u de ondernemer vraagt een dienst al te leveren tijdens de bedenktijd, maar daarna alsnog gebruik van uw bedenktijd maakt, kan de ondernemer u om een vergoeding van de kosten vragen. Daarover moet u van tevoren geïnformeerd worden.

Glashard

In de wijk van Jacqueline Mulders gaat internetprovider Scarlet in maart 2013 de deuren langs om de belangstelling te polsen voor glasvezelinternet. Bij voldoende aanmeldingen zal daadwerkelijk glasvezel worden aangelegd. Met de mondelinge toezegging dat ze straks nog steeds meerdere tv-kanalen tegelijkertijd kan opnemen, gaat Mulders akkoord. Het glasvezelproject gaat door en daarmee ook het abonnement.
Na aanvang van het abonnement komt ze erachter dat er maar één zender per keer kan worden opgenomen. Scarlet stelt zich formeel op. 'Ondanks de briefwisseling blijft Scarlet mij houden aan het contract getekend voor levering vanaf 17 maart 2014. Ik had het contract binnen 7 werkdagen moeten opzeggen.'
Als wij de zaak oppakken, meldt Mulders dat Scarlet overstag is en het contract heeft ontbonden. Let dus extra goed op bij colportage: laat u niet onder druk zetten en controleer vóór ondertekening of alle toezeggingen zwart-op-wit staan.
Scarlet erkent dat er iets is misgegaan in de communicatie. 'Omdat de oorzaak daarvan vaak niet is te achterhalen, behandelt Scarlet deze gevallen over het algemeen met enige coulance.'
Bits, Digitaalgids mei 2014

Overige informatieverplichtingen

- Wat doet de ondernemer als het product of de dienst niet goed is? Hoe gaat hij om met eventuele garanties?
- Zijn er gedragscodes waar de ondernemer zich aan moet houden? Dan moet hij u daarover informeren.
- Is het een overeenkomst voor langere tijd? Dan moet de ondernemer u informeren over de duur van de overeenkomst. Is het een overeenkomst van onbepaalde duur of wordt deze stilzwijgend verlengd? Dan moet de ondernemer informatie geven over de voorwaarden voor het opzeggen ervan.

- Geldt voor de overeenkomst dat de consument gedurende een bepaalde periode het product of de dienst moet afnemen of de overeenkomst gedurende een periode niet kan opzeggen?
- Moet de consument een waarborgsom betalen of een andere financiële garantie geven?
- Is de ondernemer aangesloten bij een klachten- of geschillencommissie? Dan moet hij de consument hierover informeren. Ook moet hij informatie geven over de manier waarop de consument hiervan gebruik kan maken.

Digitale producten

Bij digitale producten, zoals een computerspel, hoort u als consument de volgende informatie te krijgen:

- **Wat kan en doet het product en op welke manier kan de digitale inhoud worden gebruikt?**
- **Welke technische beveiligingsvoorschriften zijn er?**
- **Met welke standaardhardware en software, zoals het besturingssysteem, kan het product werken? Voldoet bijvoorbeeld de grafische kaart om een bepaald computerspel te draaien?**

2.4b Bedenktijd

Net als bij verkoop op afstand geldt voor overeenkomsten buiten de winkel een bedenktijd van 14 dagen, waarbinnen u een herroepingsrecht heeft. De regels hiervoor (hoe u er gebruik van maakt, wanneer de bedenktijd niet geldt, hoe het staat met het retour zenden en het terugstorten van uw geld) zijn identiek aan de regels die we hebben beschreven in par. 2.3c.

2.4c Afschrift of bevestiging

Als u besluit om de overeenkomst te sluiten, hoort u een afschrift of bevestiging te krijgen van de ondertekende overeenkomst. Ook hier geldt dat het uitgangspunt is dat het afschrift of de bevestiging op papier wordt gegeven of bijvoorbeeld via e-mail.

Heeft u de ondernemer uitdrukkelijk gevraagd om nakoming van de overeenkomst tijdens de bedenktermijn? Bijvoorbeeld omdat u graag wilt dat een dienst meteen ingaat? Dan bevestigt de ondernemer dit in het afschrift of in de bevestiging die hij geeft.

Niet solvabel?

Als een colporteur redelijkerwijs kan vermoeden dat u niet aan uw betalingsverplichting kunt voldoen, mag hij u helemaal niets verkopen. Heeft u een bijstandsuitkering of schulden bij uw huisbaas en vertelt u dit aan de verkoper, dan mag hij u geen encyclopedie verkopen die u in vier jaar afbetaalt. U kunt de koop dan ongedaan maken. Bij de rechter kunt u hierop een beroep doen, ook na de bedenktijd.

2.4d Levering en risico

Waar ligt het risico bij verkoop buiten de winkel als een beschadigd product geleverd wordt? Of kwijtraakt bij verzending? Wat is de levertijd? Ook hier zijn nieuwe Europese regels voor, die hetzelfde zijn als voor verkoop op afstand; zie par. 2.3d.

2.5 Uw rechten bij kopen over de grens

Hoe zit het met uw rechten als u via internet een product in een ander land dan Nederland koopt?

Tour de blamage

Wat heb ik nou aan mijn fiets hangen, denkt Mischa Snackers uit Landgraaf als hij van www.athleteshop.com een totaal ander fietswiel krijgt dan hij heeft besteld. Hij mailt, maar de webwinkel weet het helemaal zeker: dit is écht het bestelde wiel.

Ook als Snackers foto's ter bewijsvoering aanlevert, houdt de webwinkel mail na mail stug vol dat écht het juiste wiel is geleverd. De klant heeft het gewoon 'anders geïnterpreteerd'.

Snackers reageert gepeperd: 'U wilt toch ook geen pimpelpaarse trekkersrugzak als u een leren handtas bestelt?' Stekeligheden zet een tandje bij en plotseling ziet Athleteshop het licht: het is tóch het foute wiel! Het juiste wiel wordt opgestuurd en Snackers kan na een maand eindelijk weer fietsen.

Stekeligheden, Consumentengids maart 2014

2.5a EU-land

Binnen de EU gelden sinds medio juni 2014 dezelfde regels met betrekking tot koop op afstand (zie par. 2.3). Wat moet u doen als de Europese webwinkel zich niet aan de regels houdt?
Net zoals in Nederland, moet u ook bij problemen met een Europese webwinkel eerst proberen er samen uit te komen. Lukt dat niet, dan kunt u bemiddeling van het Europees Consumenten Centrum inroepen. Helpt ook dat niet, dan moet u de klachtenafhandeling volgen die volgens de nieuwe richtlijn voorhanden hoort te zijn (de webwinkel moet u informatie hebben gegeven over waar u een klacht kunt indienen en wat zijn beleid is bij de klachtenafhandeling). Zie voor meer informatie hierna onder 'Stappenplan bij een klacht'.

Stappenplan bij een klacht

Op de website van het ECC (www.eccnederland.nl) vindt u het volgende stappenplan bij een klacht. Daar kunt u ook terecht voor meer informatie.

- *STAP 1. Check of uw klacht onder het ECC valt.* Het ECC kan uw klacht alleen behandelen als het gaat om een aankoop of bestelling die onder de Europese richtlijnen voor consumentenrecht valt. Houd er rekening mee dat het ECC geen zaken met spoed kan behandelen. Verzoeken om bemiddeling worden afgehandeld in volgorde van binnenkomst. Dus als er een groot belang in het spel is, kan het verstandiger zijn direct andere (gerechtelijke) stappen te ondernemen.
  Is uw klacht wél iets voor het ECC, ga dan door naar STAP 2.
- *STAP 2. Leg uw klacht voor aan de ondernemer.* Leg eerst uw klacht voor aan de winkel of de (reis)organisatie waar u iets gekocht of besteld heeft. U kunt zelf een brief sturen of gebruikmaken van het klachtenformulier. Maak daarvan een kopie en bewaar die. Stuur geen originele aankoopbonnen mee, maar kopieën. Geef het bedrijf vier weken de tijd om te reageren.
- *STAP 3. De ondernemer reageert niet binnen vier weken of u bent het niet met zijn antwoord eens.* Als de reactie van de ondernemer uitblijft of niet voldoet, kunt u het ECC inschakelen. Dat kan via het klachtenformulier op de website van het ECC. Als u uw klacht liever in een brief formuleert, schets dan kort en bondig de voorgeschiedenis van uw klacht en de gewenste oplossing.

- *STAP 4. Wacht op bevestiging van het ECC.* Het ECC bekijkt of uw klacht inderdaad in aanmerking komt voor verdere behandeling. Zo ja, dan ontvangt u een schriftelijke bevestiging. Het kan zijn dat het ECC u om aanvullende informatie vraagt.
- *STAP 5. Uw klacht gaat naar het betreffende collega-ECC.* Als het ECC alle benodigde informatie heeft ontvangen, wordt uw klachtendossier doorgestuurd naar het ECC in het EU-vestigingsland van de ondernemer. Dit gaat op volgorde van binnenkomst. Het ECC in Nederland informeert u over het verloop van uw zaak.

Niet voor Nederland

Het ECC behandelt geen klachten van Nederlandse ingezetenen over aanbieders in Nederland. Voor meer informatie en advies kunt u dan onder andere terecht bij het Juridisch Loket, ConsuWijzer en de Consumentenbond, zie par. 1.4a.

De hulp van het ECC is kosteloos. Wel kunnen er kosten zijn als uw klacht door een collega-ECC wordt voorgelegd aan een geschillencommissie. Daarover informeert het ECC in Nederland u dan tijdig.
Of er een bevredigende oplossing komt voor uw klacht hangt af van uw rechten en plichten in de specifieke situatie. In veel gevallen is de tussenkomst van het ECC succesvol, maar houd er rekening mee dat het ECC niet meer kan doen dan buitengerechtelijk bemiddelen. Het kan dus niet namens u optreden. Levert de bemiddeling geen resultaat op, dan kunt u altijd zelf nog gerechtelijke stappen ondernemen. Daarvoor kunt u een beroep doen op uw rechtsbijstandsverzekering of een advocaat inschakelen.

Tip

Tips bij kopen over de grens

Keuze van de onlinewinkel

- **Lees de algemene en verkoopvoorwaarden van tevoren goed door om te controleren of u met een betrouwbare winkel te maken heeft. Een webwinkel is verplicht om een aantal gegevens vóór de bestelling te verstrekken (zie par. 2.3a).**

- Ga na van welk land het recht van toepassing is bij deze aanbieder.
- Kijk ook of er een *after sales*-service is, wat die inhoudt en wat de eventuele retourkosten zijn bij terugzending.
- Controleer wat de bezorg- en betaalkosten zijn. Laat u niet alleen leiden door de prijs van het product.
- Raadpleeg websites met prijsvergelijkingen en prijsalerts van het verkoopland.
- Controleer of de onlinewinkel een fysiek adres, e-mailadres en telefoonnummer heeft.

Bestellen en betalen

- Betaal bij voorkeur met een creditcard. Dit biedt extra bescherming. De creditcardmaatschappij verzekert alle aankopen, ook op internet. Ze kan bijvoorbeeld namens u bij de aanbieder het betaalde geld terugvorderen als het product niet is bezorgd.
- Voer een betaling alleen uit via een beveiligde pagina, zodat u gegevens via een beveiligde verbinding doorstuurt. Controleer of het internetadres begint met 'https' en of de betaalpagina een afbeelding van een slotje bevat.
- Zorg ervoor dat u altijd goed uitlogt na het plaatsen van de bestelling en betaling.
- Check altijd of u schriftelijk de volgens de wet vooraf verplichte informatie heeft ontvangen. Dit bepaalt het moment waarop uw herroepingsrecht begint.

Bezorging van het product

- Bekijk altijd eerst de bezorgtijden en -kosten voordat u iets bestelt.
- Controleer het pakketje bij de ontvangst altijd op schade voordat u ervoor tekent. Anders is het moeilijk te bewijzen dat de schade niet door u is veroorzaakt. De verkoper is verantwoordelijk voor het product tot aan de getekende ontvangst door de consument.
- Wilt u iets retour zenden, doe dat dan aangetekend. Als het geretourneerde product beschadigd of kwijtgeraakt is, kunt u de retourkosten niet bij de webwinkel verhalen, maar wel bij het bezorgbedrijf.

Naar de rechter
Als u er met hulp van het ECC niet uitkomt, kunt u naar de rechter stappen. Naar welke rechter moet u dan gaan? In het algemeen geldt dat u als eiser mag kiezen: u kunt een procedure starten in uw woonplaats of in de lidstaat waar de verweerder is gevestigd.
Een praktijkvoorbeeld: u heeft bij een Duitse webwinkel een product gekocht dat niet wordt geleverd terwijl u al een deel heeft betaald. De webwinkel zegt het product wel te hebben verstuurd en wil daarom geen geld teruggeven. U moet dan in de algemene voorwaarden kijken of de webwinkel heeft aangegeven onder welk land het recht valt. Staat dat niet in de voorwaarden, dan geldt het recht van het land waar de webwinkel gevestigd is. Dat betekent in dit geval dat alle wetgeving met betrekking tot de koop onder het Duitse recht valt.
Als u een rechterlijke procedure wilt starten tegen de Duitse webwinkel en het om een vordering gaat van niet meer dan €2000, kunt u een rechterlijke procedure in uw eigen woonplaats starten zonder tussenkomst van een advocaat. U doet dit door een standaardformulier (te verkrijgen via e-justice.europa.eu onder 'Gerechtelijke stappen' en 'Geringe vorderingen') in te dienen bij het kantongerecht van uw woonplaats. De Nederlandse rechter doet dan een uitspraak.
De enige kosten die u maakt zijn griffierechten en de kosten van eventuele vertalingen. Ligt de vordering boven de €2000, dan moet u die via een Nederlandse advocaat bij de Nederlandse rechtbank indienen.

2.5b Buiten de EU

Heeft u iets buiten de EU gekocht, dan mag de buitenlandse winkelier bepalen welk recht van toepassing is, maar dat mag geen afbreuk doen aan de bescherming van onze wettelijke regels. Wilt u deze regels afdwingen, dan zult u naar de rechter moeten.

Tip

Consumentenorganisatie

Neem contact op met een consumentenorganisatie die in het land waar het bedrijf waarmee u een geschil heeft, gevestigd is. Wellicht kan zij iets voor u betekenen. Een overzicht van deze organisaties is te vinden via www.consumersinternational.org.

03 OP REIS

Een vakantie kan om allerlei redenen in het water vallen. Hier leest u wat uw rechten als reiziger zijn, wat dat in de praktijk betekent en hoe u de kans op problemen zo klein mogelijk maakt.

WAT IK JE BROMDE... DE BELOOFDE AFSTAND TOT HET HOTEL IS OP Z'N MINST 5 METER MEER!
'T IS EB MAN...!

Eerst staan we stil bij uw juridische positie als u rechtstreeks boekt (bijvoorbeeld een lijnvlucht of hotelovernachting via een website) of kiest voor een reisarrangement aangeboden door een reisorganisator. Daarna komen mogelijke probleemsituaties rond de reis en het verblijf aan bod. Tot slot is er aandacht voor het nut van een reisverzekering en de rol van de Algemene Nederlandse Vereniging van Reisondernemingen (ANVR), de Stichting Garantiefonds Reisgelden (SGR) en het Calamiteitenfonds.

3.1 Zelf organiseren of verzorgd

3.1a Rechtstreeks geboekt

Veel vakantiegangers boeken hun vakantie zelf online. U sluit dan twee aparte overeenkomsten: een met de vervoerder en een met de logiesverschaffer. Globaal geldt dezelfde basisregel als voor alle overeenkomsten: u mag een goed 'product' verwachten en de andere partij mag op uw betaling rekenen.
Boekt u zelf uw vervoer, dan kunnen daar specifieke voorwaarden aan vastzitten. Welke dat zijn, hangt van de aanbieder af.
Uw juridische positie tegenover een logiesverschaffer in het buitenland hangt af van de heersende regels en wetgeving in dat land. Als u een buitenlands verblijf via een Nederlandse reisorganisator boekt, gelden diens voorwaarden.

3.1b Via een reisorganisator

Heeft u een pakketreis (verblijf en vervoer of een andere dienst zoals een huurauto) van een reisorganisator geboekt, dan heeft u een overeenkomst met de reisorganisator en gelden diens algemene voorwaarden. De algemene voorwaarden moeten aan de consument 'ter hand worden gesteld'. Dat betekent dat de consument een redelijke mogelijkheid moet krijgen om de voorwaarden in te zien. Hoe ze beschikbaar moeten zijn, is afhankelijk van de manier waarop de overeenkomst wordt gesloten. Als dit online gebeurt, mag de reisaanbieder de algemene voorwaarden via de website ter hand stellen. Als de overeenkomst via het reisbureau of telefonisch tot stand komt, is terhandstelling op papier het uitgangspunt. Als de reisorganisator bij de ANVR is aangesloten, zijn dat de ANVR-

voorwaarden, waarbij de Consumentenbond betrokken is geweest. U leest hier meer over in par. 3.5. Ze staan ook in de brochure van de ANVR, die u via www.anvr.nl kunt raadplegen.
Pakketreizen of andere reisdiensten, zoals een appartement of bungalow, kunt u rechtstreeks bij de reisorganisator boeken of via een tussenpersoon, bijvoorbeeld een reisbureau of een boekingssite. Is er een probleem met de pakketreis, dan kunt u de tussenpersoon inschakelen om uw probleem door te spelen aan de reisorganisator.

Meeste klachten over autohuur

Op vakantie doen zich de meeste problemen voor met autohuur. Dat blijkt uit een Europees onderzoek onder 5791 vakantiegangers van het ANEC, de Europese belangenorganisatie voor consumenten (www.anec.eu). Ruim een kwart (27%) van de Europese vakantiegangers liep tegen een probleem aan. Autohuur zorgde voor de meeste problemen: ruim 22% van de problemen had daarmee te maken. Andere gebieden waar problemen zich voordeden zijn de vliegreis (16%), treinreis (15%) en pakketreizen (14%).
Het schortte vooral aan kwaliteit (29%) en klantenservice (22%). Ook plotseling opduikende extra kosten (19%) en onduidelijke informatie (17%) zorgden voor ontevredenheid.
Meestal werd er alleen geklaagd bij de aanbieders; bijna driekwart was ontevreden over de reactie van de aanbieder. Uiteindelijk deponeerde maar 13% een klacht bij een organisatie met een onafhankelijke geschillenregeling.

3.2 Vlucht

3.2a Los vliegticket

Als u rechtstreeks bij een luchtvaartmaatschappij een los vliegticket koopt, sluit u een overeenkomst met die maatschappij. Uw rechten en plichten worden dan in de vervoersvoorwaarden bepaald. Ook als u het ticket via een tussenpersoon heeft geboekt, gelden de voorwaarden van de luchtvaartmaatschappij. Daarnaast gelden de voorwaarden van de bemiddelaar. Hoewel er – mede dankzij jarenlang lobbyen van de Consumentenbond – verbetering is gekomen in de rechten van luchtvaartpassagiers bij onder meer vertraging, annulering en overboeking, valt er nog steeds heel wat op aan te merken.

We noemen een paar opmerkelijke en in onze ogen soms onredelijke bepalingen waarmee u het best vooraf rekening kunt houden als u een ticket boekt.

- Maatschappijen behouden zich het recht voor om vluchttijden te wijzigen of zelfs vluchten te annuleren, ook al is het ticket geboekt en helemaal betaald. Als passagier moet u dit accepteren en u krijgt, als de annulering tot twee weken voor vertrek plaatsvindt, hoogstens de ticketprijs terug. U heeft dan geen recht op een schadevergoeding.
- Voor passagiers is wijzigen of annuleren zonder kosten alleen mogelijk bij de duurdere lijndiensttickets.
- Budgetmaatschappijen brengen bij wijziging administratiekosten in rekening, vaak €40 tot €50.
- Het wijzigen van een naam op het ticket kost vaak geld. Sommige luchtvaartmaatschappijen rekenen buitensporige bedragen voor een handeling die u ook nog zelf moet verrichten. Let er daarom bij de boeking op dat de namen die op het ticket staan identiek zijn aan die in het paspoort.
- Annuleren kost doorgaans de volle ticketprijs, maar u heeft wel recht op teruggave van het deel dat uit overheidsheffingen bestaat. U moet hier zelf om vragen bij de luchtvaartmaatschappij en u betaalt meestal administratiekosten, die soms even hoog zijn als het bedrag dat u terugkrijgt.
- Sommige maatschappijen weigeren passagiers als ze niet alle onderdelen (coupons) van het ticket in de aangegeven volgorde gebruiken. Met een ticket Frankfurt-Amsterdam-New York mag u dan niet het eerste deel ongebruikt laten door pas op Schiphol op te stappen.
- Bij sommige intercontinentale vluchten moet u als u op reis bent uw terugvlucht herbevestigen, ook al heeft u een geldig ticket. Doet u dit niet, dan kan de luchtvaartmaatschappij u weigeren.
- Intercontinentale maatschappijen, zoals Air France-KLM en British Airways, maken afspraken met andere vervoerders, ook wel *code share* genoemd. Andere luchtvaartmaatschappijen voeren dan een deel van de vlucht uit. Consumenten moeten hierover bij boeking worden geïnformeerd.
- Incheckbalies sluiten doorgaans 40 minuten voor vertrek. Wie later komt, kan worden geweigerd.

Bedenktijd bij onlineboeken?

Wat kunt u doen als u meteen na een boeking via internet al spijt heeft? Kunt u dit nog ongedaan maken omdat onlineaankopen onder de Wet koop op afstand vallen en daarvoor een bedenktijd geldt?

Helaas niet. De wettelijke bedenktijd van 14 dagen voor koop op afstand geldt niet wanneer u een reis boekt. U kunt dus niet zomaar van de reisovereenkomst af, tenzij u de reis annuleert.

De reisorganisator brengt dan doorgaans annuleringskosten in rekening. Hoe hoog die kosten zijn, hangt onder andere af van het moment waarop u de reis annuleert. Wie op de vertrekdag annuleert, loopt het risico het hele bedrag te moeten betalen. Bij vliegtickets is de hoogte van het bedrag dat u terugkrijgt afhankelijk van het soort ticket dat u geboekt heeft.

Het financiële risico is te beperken met een annuleringsverzekering. Een vergoeding via de annuleringsverzekering is vaak gebonden aan voorwaarden. Lees de polisvoorwaarden dus goed door. Zie ook par. 3.4b.

Tip

Lees de ticketvoorwaarden

Lees altijd de ticketvoorwaarden op de website van de boekingssite en de vervoersvoorwaarden van de luchtvaartmaatschappij. Hierin staat bijvoorbeeld of u een vlucht mag wijzigen of annuleren, hoeveel bagage er mee mag, de meldingstijd bij de incheckbalie en of er een minimum- of maximumverblijfsduur geldt.

'Goedkope' tickets

Toen de prijsvechters op de markt kwamen, werd de markt overspoeld met goedkope vliegtickets. Wie wilde boeken, raakte al snel teleurgesteld: er kwam een reeks toeslagen bij, waardoor het ticket tot wel drie keer zo duur werd. Op deze manier was het lastig vergelijken en consumenten voelden zich bekocht.

De Consumentenbond voerde hier jaren actie tegen, met succes. Er zijn nu EU-regels die voorschrijven dat aanbieders van tickets all-inprijzen moeten hanteren. Ook is het verboden om verzekeringen standaard aangevinkt op de site te zetten.

Maar aanbieders houden zich lang niet altijd aan de nieuwe regels (zie het kader 'Prijstransparantie'). En de grotere transparantie voor de reiziger heeft niet lang geduurd. In reactie op de nieuwe EU-regels hanteren luchtvaartmaatschappijen nu namelijk à-la-carteprijzen. U betaalt enkel voor het vervoer van A naar B. De verzorging aan boord, incheckwijze, hoeveelheid bagage, stoel waarop u zit en het gebruik van een specifiek betaalmiddel leiden tot een totaal ander prijskaartje. Nog steeds kun je als consument dus niet in één oogopslag zien wat je kwijt bent voor een vliegreis.

Prijstransparantie

Uit een onderzoek van de Consumentenbond (zie de *Consumentengids* van januari 2013 en 2014) bleek dat veel reisaanbieders volstrekt onduidelijk zijn over hun prijzen: vooraf aangevinkte verzekeringen, onverwachte extra kosten, niet vermelde boekingskosten en buitensporige bedragen voor betalen met een creditcard. De Consumentenbond heeft tijdens de 'Actieweek Reisprijzen' (mei 2013) en met de actie 'Boekingskosten in de prijs' (voorjaar 2014) veel aanbieders hier (met succes!) op aangesproken.

Ver weg parkeren

De vlucht met Ryanair vanaf Charleroi vertrekt al vroeg en dus lijkt het de heer Smit handig zijn auto vlakbij op een parkeerterrein te stallen. De prijs via de site van Ryanair (Ryanair werkt samen met ParkVia) is alleszins redelijk: €66 voor een week. Hij boekt meteen, in de veronderstelling dicht bij de luchthaven te parkeren. Als hij daarna de routebeschrijving krijgt, blijkt dat het terrein op 20 minuten van de luchthaven ligt.

De naam van het parkeerterrein (een van de zes) lijkt weliswaar sterk op die van een parkeerplaats direct bij het vliegveld, maar het is wel degelijk een ander, verder weg gelegen terrein. Het hotel van de heer Smit ligt naast de vertrekhal, dus hij voelt er niets voor zo ver weg te parkeren. Maar helaas, annuleren met teruggave van de €66 is uitgesloten.

Turbulentie, Reisgids januari/februari 2014

Betalen om te kunnen betalen is ook zo'n vondst en gangbaar bij veel lowbudgetmaatschappijen. Een extra bedrag van €5 tot €15 per ticket om – meestal verplicht – met een creditcard af te rekenen is eerder regel dan uitzondering. Erg vervelend, zeker als er geen andere manier van betalen mogelijk is of als andere methoden nog duurder zijn.

Gelukkig is dit veranderd. Sinds 13 juni 1014 mogen reisaanbieders alleen nog de werkelijke kosten voor gebruik van een betaalmiddel in rekening brengen. Hoeveel dat dan is, is nog niet helemaal duidelijk, maar €15 voor een creditcardbetaling is in elk geval verleden tijd.

Extra comfort

Aan de andere kant bieden diverse luchtvaartmaatschappijen steeds meer diensten en producten aan voor extra comfort. Gemakken die voorheen enkel waren weggelegd voor de businessclass en *frequent flyers*, zijn nu los te koop in de economyclass. Denk bijvoorbeeld aan de toegang tot businessclasslounges, waar je onbeperkt hapjes en drankjes kunt nuttigen, of het vermijden van lange rijen bij het inchecken en de gate door gebruik te maken van de *priority lanes*. Wie net even wat meer luxe wil, kan nu vaak ook voor die extra's kiezen zonder de hoofdprijs te betalen.

Taxiservice zonder taxi

Toen mevrouw De Vlas haar Transaviavlucht naar Istanbul boekte, viel haar oog op de transferservice van Holiday Taxis. Handig: geen gedoe met openbaar vervoer of taxi's bij het vliegveld. Ze boekte de taxi voor de heen- en de terugvlucht en betaalde de €38,90 meteen.
Helaas, op de heenrit moest ze anderhalf uur wachten. Uiteindelijk was ze drie uur later dan verwacht in haar hotel. Op de terugweg was het nog erger. Nadat ze meer dan twee uur bij de receptie had zitten wachten, moest ze snel zelf een taxi regelen om haar vlucht te halen. Toen ze zich bij Holiday Taxis beklaagde en om terugbetaling van het vooruitbetaalde bedrag vroeg, kreeg ze nul op het rekest. Het taxibedrijf had volgens Holiday Taxis aan de hand van de gps-gegevens 'bewezen' dat de chauffeur er op tijd was en een halfuur had gewacht bij het hotel. Hij had zich echter niet bij de receptie gemeld.
In een reactie verklaart Siret Langebaum van Holiday Taxis dat het gps-bewijs van het taxibedrijf in Istanbul telt en ze dus niet het volledige bedrag kunnen teruggeven. Uit coulance krijgt mevrouw De Vlas €19. Dat is echter niet genoeg om haar te overtuigen van de betrouwbaarheid van de Turkse partner van Holiday Taxis. Mevrouw De Vlas raadt Holiday Taxis dan ook niet aan.
Turbulentie, Reisgids januari/februari 2014

Tip

Een goede boekingssite

Er zijn veel verschillende websites waarop u uw vlucht kunt boeken. Hoe herkent u een goede of slechte boekingssite? Een goede boekingssite:

- **biedt bij de keuze van een vlucht direct duidelijkheid over de eindprijs, zonder bijkomende kosten in de vervolgstappen;**
- **laat ook de tarieven zien op alternatieve vertrekdagen;**
- **biedt keuze in betaalmogelijkheden, vraagt geen woekerprijzen voor (verplicht) betalen per creditcard en heeft een beveiligde betaalpagina ('https' in plaats van 'http' en een slotje in het internetadres);**
- **heeft duidelijke, makkelijk vindbare voorwaarden in het Nederlands;**
- **heeft een fysiek contactadres en de mogelijkheid om vragen en klachten per e-mail te sturen;**
- **waarschuwt met een duidelijke mededeling vlak voor het moment dat u definitief boekt;**
- **heeft niet standaard extra verzekeringen aangevinkt.**

3.2b Koffer vertraagd of weg

Bij een los ticket
Als u een los ticket heeft gekocht en uw bagage komt niet aan of is beschadigd, meld dit dan direct op het vliegveld. Ga niet eerst naar huis of naar uw hotel. Vul op de luchthaven een PIR-formulier (*Property Irregularity Report*) in en vraag daar een kopie van.
U kunt de luchtvaartmaatschappij of de reisverzekering – als u die heeft – aansprakelijk stellen. Ook sommige creditcardbedrijven bieden een verzekering bij reisongemakken.

De reisverzekering. Is de koffer weg en heeft u een reisverzekering, kijk dan eerst in de polis of u recht heeft op een vergoeding en, zo ja, hoe u die vergoeding kunt krijgen. Het kan namelijk voordeliger zijn om uw schade op uw reisverzekering te verhalen dan op de luchtvaartmaatschappij, omdat u in het eerste geval soms meer terugkrijgt. De hoogte van de maximumvergoeding hangt van uw reisverzekering af: het kan

€1000 zijn, maar ook €5000. Bedenk wel dat de reisverzekering alleen vergoedt als de luchtvaartmaatschappij niet aansprakelijk gesteld kan worden (zie hierna).

Tip

Kostbare bagage

Bij verloren bagage moet u als passagier in principe kunnen aantonen wat er in uw koffer zat en hoeveel dat waard was. Dat zal niet altijd makkelijk zijn. Neem kostbare zaken daarom in uw handbagage mee.

De luchtvaartmaatschappij. Heeft u geen reisverzekering, dan ziet u in de vervoersvoorwaarden of u de luchtvaartmaatschappij aansprakelijk kunt stellen. Vaak wordt in die voorwaarden het Verdrag van Warschau of het Verdrag van Montréal genoemd. Deze regels gelden alleen bij internationale vluchten en alleen tussen landen die meedoen aan de verdragen.
Stel de luchtvaartmaatschappij schriftelijk aansprakelijk met een kopie van het PIR-rapport erbij. In de brief moet u alle zaken vermelden die in de koffer zitten. Noem een redelijke tijd waarbinnen de luchtvaartmaatschappij met een oplossing moet komen en geef aan wat uw vervolgstappen zullen zijn als dat niet gebeurt. Op www.consuwijzer.nl vindt u een voorbeeldbrief die u kunt gebruiken.
Hoe hoog de vergoeding is, verschilt van geval tot geval en van maatschappij tot maatschappij. Zo betalen sommige maatschappijen per dag vertraging van de bagage een bepaald bedrag, terwijl andere eenmalig een bedrag geven. Als de bagage echt weg blijkt te zijn, heeft u recht op een maximale vergoeding van ongeveer €1285 (2014).
Als u er met de luchtvaartmaatschappij niet uitkomt, zit er niks anders op dan naar de rechter te stappen. Dat is een moeizame en kostbare weg. Als u een rechtsbijstandsverzekering heeft, schakel die dan eerst in.
Bij een vertraagde koffer die alsnog wordt bezorgd, heeft u recht op een financiële vergoeding voor noodzakelijke spullen als toiletartikelen en kleding voor de eerste twee dagen. Hoe hoog die vergoeding is, staat in de algemene voorwaarden van de luchtvaartmaatschappij.

Denk aan de termijnen

U moet de luchtvaartmaatschappij binnen een vaste termijn aansprakelijk stellen. Anders is uw claimrecht vervallen en hoeft de maatschappij niets te vergoeden. Denk er dus aan op het vliegveld direct een PIR-formulier in te vullen.

Bij *beschadigde* bagage moet u binnen zeven dagen na ontvangst van de bagage de luchtvaartmaatschappij schriftelijk (dus per brief) aansprakelijk hebben gesteld.

Bij *vertraagde* bagage moet u binnen 21 dagen nadat u uw bagage heeft ontvangen de luchtvaartmaatschappij schriftelijk (dus per brief) aansprakelijk hebben gesteld.

Bij een pakketreis

Heeft u een pakketreis geboekt en is er iets met uw bagage, schakel dan direct en ter plaatse de reisleiding/hostess in. Zij hoort u te helpen met dit probleem. Bij een pakketreis is uw reisorganisatie namelijk aansprakelijk. Die is immers verantwoordelijk voor het goed uitvoeren van uw reis en daar hoort ook het vervoer van uw bagage bij. Klaag na terugkeer zo snel mogelijk schriftelijk bij de reisorganisatie.

Is uw reisorganisatie ANVR-lid, kijk dan eerst of u een reisverzekering heeft die al uw schade vergoedt. Volgens de ANVR-reisvoorwaarden hoeft de reisorganisatie uw schade dan niet te vergoeden.

PIR-formulier

Hoewel het niet vereist is, raden wij aan ook bij vermiste bagage bij een pakketreis een PIR-formulier in te vullen.

3.2c Vluchtvertraging en annulering

Vertraging

Uw rechten bij vertraging zijn afhankelijk van de vraag of het een losse vlucht of een pakketreis betreft.

Comfort Plus op de tocht

Voor zijn vlucht naar Beijing boekte de heer Pupping bij KLM vier zitplaatsen in de Economy Comfort Class voor €600 extra. Op voorgaande vluchten had hij goede ervaringen met ruime, comfortabele Economy Comfort-stoelen in de aparte Economy Comfort-ruimte. Deze keer geen lekkere stoelen en evenmin een aparte ruimte, maar stoelen bij de nooduitgang in de Economy Class. Als Pupping zich beklaagt bij de stewardess zegt ze dat deze Boeing 747 geen aparte ruimte heeft en ze raadt hem aan zich te melden bij de klantenservice. Hij doet dat meteen via Twitter en krijgt excuses, met de opmerking dat KLM hem onterecht heeft laten betalen voor de stoelen en een link om het geld terug te vragen.

De beenruimte was uiteindelijk in orde, maar de nooduitgang zorgde voor tocht en lawaai. Als hij later geld terugvraagt, zegt KLM dat ze wel degelijk de Economy Plus-stoelen gekregen hebben, namelijk die bij de nooduitgang. De heer Pupping brengt daar de eerdere reactie op Twitter tegen in. KLM blijft echter bij het standpunt dat ze gekregen hebben waar ze voor hebben betaald.

In een reactie maakt het hoofd *customer care*, namens KLM excuses. De stoel meteen naast de nooduitgang is niet van Comfort Class-niveau. Uit coulance krijgt Pupping voor €600 vliegtegoed en een boeket. Zo kent hij de KLM weer.

Turbulentie, Reisgids maart/april 2014

Losse vlucht. Bij een losse vlucht is de luchtvaartmaatschappij verantwoordelijk. Wie met een Europese luchtvaartmaatschappij vliegt of vanuit een Europees land vertrekt, geniet Europese passagiersrechten, waarop we hierna uitgebreid ingaan. Wat uw rechten zijn als dit niet het geval is, leest u in het kader 'Niet-Europese vlucht' op pag. 82.

Volgens de Europese regelgeving heeft u bij langdurige vertraging (vanaf twee uur bij aankomst – het vliegtuig kan een deel van de vertraging namelijk weer inlopen – en afhankelijk van de afstand) recht op bijstand door de luchtvaartmaatschappij. Die bijstand kan bestaan uit gebruik van een telefoon, versnaperingen, een maaltijd en drankje en indien nodig een hotelkamer, inclusief vervoer naar het hotel. Dit geldt voor alle vluchten vanuit een EU-land en voor vluchten naar een luchthaven

in een EU-land als de luchtvaartmaatschappij in de EU is gevestigd. Tabel 2 laat zien wanneer er volgens de Europese regels sprake is van een langdurige vertraging die recht op deze bijstand geeft.
Als de vertraging meer dan vijf uur bedraagt, kunt u besluiten niet (verder) te reizen. U heeft dan recht op terugbetaling van uw ticket en eventueel een terugvlucht naar uw oorspronkelijke vertrekpunt.
Vraag bij langdurige vertraging altijd een 'vertragingsverklaring' aan, waarin onder meer staat hoelang de vertraging duurde. Deze kunt u aanvragen bij het personeel van de luchtvaartmaatschappij.

Tabel 2 Recht op bijstand bij vluchtvertraging

Vluchtafstand	Vertraging bij aankomst
1500 km of minder	2 uur of meer
Meer dan 1500 km in EU	3 uur of meer
Tussen 1500 en 3500 km	3 uur of meer
Alle andere vluchten	4 uur of meer

Dankzij een uitspraak van het Europees Hof hebben passagiers naast bijstand ook recht op een compensatie in geld (een vergoeding) als hun vlucht een vertraging heeft van drie uur of meer. De hoogte van die compensatie ligt – afhankelijk van de afstand en de opgelopen vertraging bij aankomst – tussen de €250 tot €600 per ticket (zie tabel 3). Deze vergoeding moet volledig worden betaald in contanten, per bankoverschrijving of cheque.
Als de luchtvaartmaatschappij overmacht kan aantonen, hoeft ze geen compensatie te betalen. Technische problemen behoren meestal tot het normale bedrijfsrisico van een maatschappij en vallen dus niet onder overmacht. Overmacht geldt alleen bij een gebeurtenis waarop de luchtvaartmaatschappij geen daadwerkelijke invloed had, die zij door het treffen van alle redelijke maatregelen niet had kunnen voorkomen en die niet inherent is aan de normale bedrijfsvoering. Dat is bijvoorbeeld het geval als er een zwerm vogels in de motor terechtkomt, als er wilde stakingen uitbreken, als er een langdurige sneeuwstorm woedt of als er niet veilig gevlogen kan worden vanwege een aswolk.
U kunt de luchtvaartmaatschappij daarnaast aansprakelijk stellen voor schade die het rechtstreekse gevolg is van de vertraging. Denk aan de

kosten van een nieuw ticket als u door de vertraging een aansluitende vlucht mist. Deze vergoeding kent een maximum van circa €4500.

Tabel 3 Recht op compensatie bij vluchtvertraging

Vluchtafstand	Vertraging bij aankomst	Vergoeding
1500 km of minder	meer dan 3 uur	€250
Binnen EU meer dan 1500 km of andere vluchten tussen 1500 en 3500 km	meer dan 3 uur	€400
Meer dan 3500 km	tussen 3 en 4 uur	€300
Meer dan 3500 km	meer dan 4 uur	€600

Geen vouchers of bonnen

U hoeft geen genoegen te nemen met vouchers of tegoedbonnen als vervanging voor de compensatie die bij vertraging geldt!

Niet-Europese vlucht

Als het vertrekpunt van uw vlucht buiten Europa ligt en u met een niet-Europese luchtvaartmaatschappij vliegt, gelden de Europese Passagiersrechten voor annulering, vertraging en overboeking niet. Uw rechten (en plichten) worden dan bepaald door de algemene voorwaarden van de luchtvaartmaatschappij en de plaatselijke wetgeving.

Pakketreis. Is de vlucht onderdeel van een pakketreis en pakt de vakantie door de vertraging aanzienlijk minder goed uit, dan kunt u naast de compensatie van de luchtvaartmaatschappij een vergoeding bij de reisorganisatie eisen van de kosten die de vertraging heeft veroorzaakt. U moet de vertraging dan wel kunnen aantonen. Dat kunt u doen door de medewerkers van de luchtvaartmaatschappij om een 'vertragingsverklaring' te vragen, waarin onder meer staat hoelang de vertraging duurde. U heeft voor uw claim ook uw boardingpass, uw boekingsgegevens en uw vliegticket nodig. Als de organisatie een vergoeding aanbiedt en u hiermee akkoord gaat, is de zaak daarmee afgedaan. Als u het niet eens bent met de vergoeding of als u geen vergoeding krijgt, moet u binnen een maand na afloop schriftelijk een klacht indienen bij de reisorganisatie om alsnog aanspraak te kunnen maken op een (hogere) vergoeding.

Reageert de reisorganisatie niet naar tevredenheid, dan kunt u tot drie maanden na afloop van de reis de klacht voorleggen aan de Geschillen-commissie Reizen (zie Adressen), mits de reisorganisatie zich hieraan verbonden heeft. Dat geldt in elk geval voor alle ANVR-organisaties.

'Non-refundable'

De term *non-refundable* staat meestal op vliegtickets die goedkoop of extra voordelig worden verkocht. U kunt dan geen geld terugkrijgen als u buiten de schuld van de maatschappij uw plannen wijzigt of (een deel van) het ticket niet gebruikt. Maar als de luchtvaartmaatschappij uw vlucht niet laat door-gaan, moet ze u onder andere de kosten van het vervangende luchtvervoer vergoeden. Zij kan zich dan niet beroepen op de toevoeging 'non-refundable'.

Annulering

Ook bij annulering van een vlucht heeft u recht op bijstand en compen-satie door de luchtvaartmaatschappij, tenzij u minstens 14 dagen vóór de vlucht op de hoogte bent gesteld van de annulering of wanneer u via een andere route bent gereisd zonder veel tijdverlies. Het bedrag van de compensatie is afhankelijk van de vluchtafstand en de opgelopen vertraging (zie tabel 4).

Bij overmacht (denk aan sluiting van het luchtruim wegens natuur-geweld, een staking van de luchtverkeersleiders of een terroristische aanslag) heeft u geen recht op compensatie, maar wel op bijstand.

Bij een geannuleerde vlucht moet de luchtvaartmaatschappij u de keus geven tussen:

- terugbetaling van uw ticket binnen zeven dagen;
- via een andere route naar uw eindbestemming reizen tegen dezelfde voorwaarden.

Ook als de geannuleerde vlucht deel uitmaakt van een pakketreis, heeft u recht op de geldelijke compensatie van de luchtvaartmaatschappij.

3.2d Overboekte vlucht

Luchtvaartmaatschappijen nemen vaak meer boekingen aan dan er plaatsen in het toestel zijn. De reden daarvoor is dat meestal een aantal passagiers niet komt opdagen. Soms schatten de luchtvaartmaatschap-pijen dit aantal verkeerd in en is de vlucht overboekt: ze moeten dan passagiers weigeren (de gebruikte term is 'instapweigering'; instapweigering kan overigens ook om gezondheidsredenen voorkomen). De Consumentenbond vindt overboeking een vorm van contractbreuk. Bij overboeking moet de luchtvaartmaatschappij eerst vragen of er passagiers zijn die tegen een bepaalde vergoeding vrijwillig afstand willen doen van hun zitplaats. De luchtvaartmaatschappij moet een overboekte passagier de keus bieden tussen volledige terugbetaling van zijn ticket (eventueel aangevuld met een gratis vlucht naar zijn oorspronkelijke vertrekpunt) of alternatief vervoer naar de eindbestemming. De passagier heeft daarnaast recht op een vergoeding tussen de €125 en €600. Dat bedrag wordt bij een relatief geringe vertraging gehalveerd, zie tabel 4. Kiest de passagier voor een andere route, dan moet de luchtvaartmaatschappij bovendien zo nodig bijstand verlenen in de vorm van maaltijden, gebruik van telefoon, hotelaccommodatie enzovoort. Bij een overboekte vlucht moet u altijd bij de luchtvaartmaatschappij aankloppen voor compensatie. Ook als de vlucht bij een pakketreis hoort.

Tabel 4 Compensatie bij instapweigering vanwege overboeking

Vluchtafstand	Vertraging bij aankomst	Vergoeding
1500 km of minder	tot 2 uur	€125
1500 km of minder	meer dan 2 uur	€250
Binnen EU meer dan 1500 km of andere vluchten tussen 1500 en 3500 km	tot 3 uur	€200
Binnen EU meer dan 1500 km of andere vluchten tussen 1500 en 3500 km	meer dan 3 uur	€400
Meer dan 3500 km	tot 4 uur	€300
Meer dan 3500 km	meer dan 4 uur	€600

Tip

Vergoeding extra verlofdag

Een vertraging van acht uur of langer op de heenreis betekent een vakantiedag minder. Deze dag kunt u bij de reisorganisator claimen (als de vlucht deel uitmaakt van een pakketreis) of bij uw eventuele annuleringsverzekering als 'gederfd reisgenot'. Een extra dag verlof die u moet opnemen omdat de terugvlucht een dag vertraagd is, valt meestal niet onder een annuleringsverzekering, maar kunt u wel bij de reisorganisator of eventueel bij uw reisverzekeraar claimen.

Tip

Voorkom overboeking

U kunt de kans op overboeking verkleinen door:

- **als het kan een stoel te reserveren;**
- **zo vroeg mogelijk in te checken.**

Dat is dankzij de huidige mogelijkheid van online-inchecken een stuk makkelijker geworden.

3.2e Failliete luchtvaartmaatschappij

Als een luchtvaartmaatschappij failliet gaat, valt er in de praktijk niet veel te halen. In het beste geval worden de vluchten overgenomen door een andere maatschappij en kunt u tenminste nog op reis. Als u gedupeerd bent door het faillissement, neem dan contact op met de curator. Als consument zult u helaas wel achteraan in de rij van schuldeisers moeten aansluiten.

Er worden tegenwoordig verzekeringen aangeboden die dekking bieden tegen schade die u lijdt door een faillissement van een luchtvaartmaatschappij. Of u dan het volledige bedrag terugkrijgt, is onder meer afhankelijk van de dekking van de verzekering. Als u met een grote maatschappij vliegt en niet enorm lang van tevoren boekt en betaalt, loopt u niet zo veel risico op een faillissement. Maar luchtvaartmaatschappijen kunnen wel degelijk failliet gaan en dan bent u uw geld waarschijnlijk kwijt. U moet voor uzelf bepalen of u de kosten van de verzekering op vindt wegen tegen het risico.

Is de vlucht onderdeel van een pakketreis, dan moet de reisorganisatie bij faillissement van de luchtvaartmaatschappij een andere vlucht aanbieden. Lukt dat niet, dan heeft u recht op uw geld terug. In zo'n geval hoeft u dus geen verzekering af te sluiten!

3.2f Vliegtuigongeluk

Vliegen is in vergelijking met autorijden zeer veilig, maar wat als u toch met een vliegtuigongeluk te maken krijgt? Voor verwondingen of overlijden door een vliegtuigongeluk – waar ook ter wereld – kunt u een claim indienen. Dat kan bij de luchtvaartmaatschappij waarbij u het ticket heeft geboekt of bij de maatschappij die de vlucht uitvoert, ingeval het om twee maatschappijen gaat. Bij overlijden kunnen de nabestaanden een claim indienen. Als u er samen niet uitkomt, zult u naar de rechtbank moeten. Los hiervan heeft u sowieso recht op een voorschot om uw onmiddellijke economische behoeften, zoals voedsel en kleding, te dekken.

3.2g Claim indienen

De rechten van luchtvaartpassagiers zijn het duidelijkst bij vertraging, annulering en instapweigering als gevolg van overboeking. Maar in de praktijk blijkt het niet altijd even makkelijk om claims te verzilveren. Luchtvaartmaatschappijen zijn verplicht bij de incheckbalie en de gate een folder neer te leggen met informatie over uw rechten. De Inspectie Leefomgeving en Transport (ILT) houdt toezicht op de compensatieregeling en op naleving van de verplichting om folders ter beschikking te stellen. Overtreders kunnen een boete opgelegd krijgen.
Als u een klacht heeft, moet u zich in eerste instantie tot de luchtvaartmaatschappij wenden. Komt u er met de luchtvaartmaatschappij niet uit, dan kunt u in laatste instantie alleen bij de rechter aankloppen. Maar voor het zover is, zijn er nog verschillende mogelijkheden om hulp te krijgen bij het halen van uw recht (zie hierna). Win in elk geval eerst advies in over de haalbaarheid van uw claim (zie par. 1.4a).

Hulp

Als u hulp zoekt bij het indienen van uw claim, kunt u wellicht terecht bij uw rechtsbijstandsverzekeraar of, als u een wat luxere creditcard bezit, bij de creditcardmaatschappij. Daarnaast kunt u terecht bij diverse commerciële bureaus, zoals EUclaim, ARAG Flight Claim Service en Green Claim, en bij de rechter.
De claimbureaus brengen een deel (vaak 20 tot 30%) van een succesvolle claim in rekening. Deze bureaus behandelen uitsluitend claims over de compensatie bij langdurige vertraging, annulering en overboeking. Met een claim over bijvoorbeeld verloren geraakte bagage kunt u hier niet aankloppen.
De Consumentenbond werkt samen met EUclaim. Op www.consumentenbond.nl/vluchtclaimservice kunt u eenvoudig nagaan of u mogelijk recht heeft op compensatie.
U kunt ook naar de ILT stappen, maar alleen om uw klacht te melden. De ILT handhaaft passagiersrechten, bijvoorbeeld door boetes op te leggen, maar dwingt geen compensatie af in individuele gevallen.

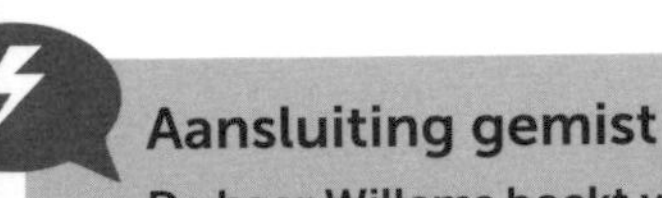

Aansluiting gemist

De heer Willems boekt via www.ebookers.nl tickets van Paramaribo (Suriname) via Willemstad (Curaçao) en Panama-Stad (Panama) naar San José in Costa Rica. Hij vliegt met SLM naar Willemstad en met Copa Airlines van Willemstad via Panama naar Costa Rica. In Willemstad is de incheckbalie van Copa al dicht: Willems had er 40 minuten voor vertrek moeten zijn. Volgens Copa heeft Ebookers een ticket aangeboden met een te korte overstaptijd. Zodoende moet de familie Willems twee nachten op Curaçao blijven, tot de volgende Copa-vlucht naar Costa Rica.
Ze bellen Ebookers, maar die reageert pas drie weken later per e-mail, na diverse telefoontjes en eindeloos wachten. In de mail meldt Ebookers dat de klacht in behandeling is genomen en binnen zes weken afgehandeld wordt. Ebookers vraagt wel vast een kostenspecificatie en die stuurt de familie Willems: $171 voor het wijzigen van het ticket. Uiteindelijk krijgen ze een maand later een mail waarin Ebookers de verantwoordelijkheid afwijst en naar Copa verwijst...
Reactie: het ligt op de weg van Ebookers om te waarschuwen voor een krappe overstaptijd, maar of de rechter dit ook zou beslissen? Let dus zelf goed op de overstaptijd en vraag bij twijfel bij de vluchtmaatschappij na of er genoeg tijd is.
Turbulentie, Reisgids maart/april 2014

3.3 Accommodatie

3.3a Overboeking hotel

Als het geboekte hotel bij aankomst vol blijkt te zijn, schakel dan meteen de hostess in wanneer u een pakketreis heeft geboekt. U moet de tegenpartij namelijk de gelegenheid bieden het probleem te verhelpen. De reisorganisatie dient direct een alternatief, een gelijkwaardige of betere accommodatie, aan te bieden. U bent niet verplicht dit aanbod te accepteren: u heeft het recht om terug te vliegen. Besluit u terug te vliegen, dan heeft u recht op een schadevergoeding of teruggave van de reissom. Als u ter plaatse een alternatief accepteert omdat terugvliegen nog erger is, doe dit dan 'onder protest'. U behoudt dan het recht op schadevergoe-

ding. Als u de alternatieve hotelkamer 'gewoon' accepteert, is daarmee het probleem opgelost en heeft u dus geen recht op schadevergoeding. Maar is de aangeboden accommodatie minder dan het oorspronkelijk geboekte hotel, dan kunt u alsnog van uw recht op schadevergoeding gebruikmaken.
Zorg dat u van de reisleiding of het hotelmanagement een bevestiging krijgt van de over- of omboeking. Als u hiermee wacht tot u weer thuis bent, bent u te laat. Op uw beurt heeft u de plicht de schade zo beperkt mogelijk te houden.
Heeft u zelf een hotel geboekt, dan is er geen hostess waar u naartoe kunt gaan. In geval van een klacht moet u dan zelf naar de hoteleigenaar stappen. Ook hier geldt dat u de tegenpartij (het hotel) gelegenheid moet bieden het probleem te verhelpen.

3.3b Tegenvallende accommodatie

U mag verwachten dat het hotel de voorzieningen heeft die op de website of in de brochure van de reisorganisator of het hotel staan vermeld. Als faciliteiten in het voor- of naseizoen nog niet of niet meer geopend zijn, moet dat vermeld worden. Staat er dat het hotel over een zwembad beschikt, dan hoort dat zwembad er ook te zijn. Zo niet, dan heeft u recht om te klagen.
Als u een voorkeur heeft uitgesproken, bijvoorbeeld voor een 'rustige kamer', wordt dat als preferentie genoteerd. Men zal zijn best doen aan uw wens tegemoet te komen, maar dit wordt niet gegarandeerd. Als de kamer niet rustig blijkt, kunt u hoogstens om een andere kamer vragen. Heeft u een klacht, dien die dan ter plaatse zo snel mogelijk in. Voor iets kleins, zoals een ontbrekend koffiezetapparaat, kunt u volstaan met de beheerder. Heeft u zelf de accommodatie geboekt, dan stapt u bij grotere problemen naar de hoteleigenaar. Bij boeking via een reisorganisatie moet u bij belangrijke problemen naar de hostess of reisleider. Kunt u deze niet bereiken, bel dan met de reisorganisatie in Nederland. Het is belangrijk dat u de reisorganisatie in de gelegenheid stelt om het probleem ter plekke te verhelpen.
Wordt het probleem ter plekke niet opgelost, laat dit dan in een klachtenformulier vastleggen en laat het formulier mede door de hostess of een andere vertegenwoordiger ondertekenen. Zorg voor bewijsmateriaal, zoals foto's, getuigen en nota's. Dien uw klacht binnen één maand

na terugkomst in Nederland schriftelijk in bij de reisorganisator of het boekingskantoor en eis een schadevergoeding.

Dubbel bestolen

Toen de heer Jansen zijn vlucht van London Gatwick naar Fuerteventura had geboekt bij easyJet, klikte hij op die site door naar www.rentalcars.com om daar meteen de huurauto te regelen. Op die site stond dat alle verzekeringen (*no-risk*) inclusief waren, net als een tweede bestuurder. Hij had daarover zelfs nog gebeld. Op Fuerteventura krijgt hij de auto van Goldcar echter niet mee als hij niet €180 extra betaalt voor verzekeringen (€85) en een volle tank (€95). Vreemd, die verzekeringskosten waren toch inbegrepen?
Vervolgens vertelt de Goldcarmedewerker hem dat hij de auto met volle tank in moet leveren, terwijl hij nota bene net voor een volle tank betaald heeft. Doet hij dat niet, dan krijgt hij geen geld terug.
Hij levert de auto met volle tank in en de medewerkster verzekert hem na controle dat het geld teruggestort wordt. Ze krijgen €52 retour.
Als hij het resterende bedrag opeist bij Rentalcars, verklaart deze dat op de voucher stond dat benzine betaald diende te worden bij het ophalen en dat het dan niet nodig was de tank vol in te leveren. Verder meldt de verhuurder dat de betreffende verzekering niet inbegrepen is. Rentalcars zegt niets te kunnen doen en verwijst naar Goldcar.
Ondanks het feit dat hij het contract met Rentalcars heeft afgesloten en de bevestiging heeft gekregen dat alle verzekeringen en de tank benzine waren inbegrepen? Hij voelt zich dubbel bestolen.
Desgevraagd laat Rentalcars weten dat de heer Jansen zich bij boeking akkoord heeft verklaard met de voorwaarden. Als 'klantgebaar' stort de organisatie €29 retour voor de benzine plus de helft van de verzekering: €42,50. Maar de heer Jansen is pas tevreden als hij het volledige bedrag terugkrijgt.
Turbulentie, Reisgids maart/april 2014

Levert dit niets op, dan kunt u naar de Geschillencommissie Reizen stappen, mits de reisorganisator daarbij is aangesloten. Dit geldt altijd voor ANVR-leden. Doe dit binnen drie maanden na terugkeer. De uitspraak van de Geschillencommissie is voor beide partijen bindend. Is de organisatie niet aangesloten bij de Geschillencommissie, dan zult u naar de rechter moeten. Dat is een veel duurdere en langduriger procedure. Wanneer is een klacht gegrond? Bepalend is welke verwachtingen er worden gewekt in de brochure, door de reisorganisatie en in de boekingsbevestiging. Staat er in de omschrijving dat het hotel rustig gelegen is, dan mag het niet naast een landingsbaan liggen. Boekt u een appartement in Salou, 'levendig gelegen midden in het uitgaanscentrum', dan heeft het weinig zin om te klagen dat u door het lawaai niet kunt slapen.

Excursie in het water

Hoe zit het als een excursie tegenvalt of mislukt? Als de excursie in uw arrangement zit, moet u bij de hostess of reisleiding aankloppen. De hostess biedt u vaak op de bestemming zelf ook de gelegenheid om via haar een excursie van een lokale organisator te boeken. Als u een klacht heeft over zo'n excursie is de hostess alleen bemiddelaar geweest en moet u niet bij haar zijn, maar bij de lokale organisator. Dat laatste geldt natuurlijk ook als u de excursie daar rechtstreeks heeft geboekt.

3.4 Vakantie en verzekering

3.4a Reisverzekering

Veel mensen hebben een doorlopende reisverzekering of sluiten er een af als ze op vakantie gaan. Uw rechten en plichten staan dan omschreven in de algemene voorwaarden van de polis. Lees die goed door.
Kijk vooral aan welke zorgvuldigheidseisen u moet voldoen, bijvoorbeeld bij het achterlaten van kostbare spullen in de auto of als u op het strand bent. Houd ook rekening met forse afschrijvingspercentages voor bagage, waardoor u voor bijvoorbeeld een verloren camera veel minder terugkrijgt dan u misschien verwacht.

3.4b Annuleringsverzekering

Rondom annuleringsverzekeringen bestaan veel misverstanden. Reizigers denken vaak dat het afbreken van de reis in veel meer situaties is gedekt dan het geval is. In de praktijk geldt dit alleen voor een paar nauwkeurig omschreven situaties, zoals ernstige ziekte of het overlijden van een direct familielid. Check de voorwaarden van de polis.

Doorlopende reisverzekering?

Wie regelmatig op reis gaat, kan voordeliger uit zijn met een doorlopende reisverzekering. Bedenk wel dat 'doorlopend' niet 'permanent' betekent. Veel van die verzekeringen kennen namelijk een maximum-aantal dagen dat u per keer aaneengesloten op vakantie mag zijn.

Geboekt is geboekt

Mevrouw Frieser en haar vriendin mevrouw Flamand boekten elk met hun partner bij Kras Reizen voor €2451 (met FNV-korting) en €2559 per persoon een *lodge*-safarireis door Kenia, Tanzania, Malawi, Zimbabwe, Zambia en Zuid-Afrika. Toen ze enkele weken na boeking en vijf maanden voor vertrek nog eens op de website van Kras keek, kreeg de voorpret een domper. De reis bleek €277 per persoon goedkoper geworden te zijn. Ze nam meteen contact op met de klantenservice met de vraag of bestaande klanten ook gebruik konden maken van deze prijsreductie. Dat bleek niet mogelijk. Volgens Kras passen leveranciers hun prijzen soms aan en leidt dat tot prijzen die per dag kunnen verschillen. De nieuwe prijzen gelden echter niet als je al geboekt hebt, want door te boeken ga je akkoord met de dan geldende prijs. Desgevraagd verklaart Kras dat uit nader onderzoek blijkt dat er een fout is gemaakt. De prijsverlaging had een prijsverhoging moeten zijn. Excuses voor de miscommunicatie en als dank voor de melding ontvangen mevrouw Frieser en haar vriendin een reischeque van €100.

Turbulentie, Reisgids mei/juni 2014

3.5 ANVR

De Algemene Nederlandse Vereniging van Reisondernemingen (ANVR; zie Adressen) is de brancheorganisatie van de reiswereld. Zowel touroperators (reisorganisaties) als reisbureaus kunnen hier lid van zijn. Enkele belangrijke zaken zijn dan goed geregeld.

Het belangrijkst is de financiële zekerheid: ANVR-leden zijn verplicht aangesloten bij de Stichting Garantiefonds Reisgelden (SGR; zie Adressen). Via de SGR zijn de reisgelden van de vakantiegangers bij een faillissement van de reisorganisatie beschermd, uitgezonderd betalingen

voor losse lijndiensttickets en huurovereenkomsten, bijvoorbeeld voor autohuur. Gaat een reisorganisatie failliet, dan springt de SGR financieel in de bres en vergoedt de schade.
Alle ANVR-leden zijn ook aangesloten bij het Calamiteitenfonds, dat voor financiële tegemoetkoming zorgt als mensen hun reis moeten onderbreken vanwege een ramp (zie par. 3.5a).
Bij de ANVR-leden bent u bovendien zeker van evenwichtige boekings- en reisvoorwaarden; die zijn tot stand gekomen in overleg met de Consumentenbond. Denk aan de onafhankelijke geschillenregeling via de Geschillencommissie Reizen (zie Adressen). De reisorganisaties binnen de ANVR verplichten zich busreizen uit te voeren met bussen die het Keurmerk Touringcarbedrijf voeren. Verder onderschrijven de leden de Reclamecode Reisaanbiedingen. Dat houdt onder meer in dat ze geen misleidende aanbiedingen mogen doen. Internetaanbieders moeten daarnaast voldoen aan de Internetgedragscode van de ANVR.
Ook niet-aangesloten reisorganisaties kunnen bovengenoemde zaken goed geregeld hebben en bijvoorbeeld aangesloten zijn bij de SGR. Dat moet u wel zelf controleren; bij een ANVR-lid weet u zeker dat het goed geregeld is. Controleer vóór de boeking via www.sgr.nl of www.anvr.nl of de reisorganisatie lid is van de ANVR en is aangesloten bij de SGR. Sommige organisaties gebruiken het ANVR-logo, terwijl ze geen lid zijn.

Twee maten

Laurens Venderbos uit Den Haag boekt voor de familie vier chalets in vakantiepark Prinsenmeer van de Oostappen Groep. Helaas is een van de kinderen ziek en blijft één huisje ongebruikt. Venderbos heeft geen annuleringsverzekering en doet daarom niet moeilijk als hij 90% van de prijs moet betalen voor het ongebruikte chalet. Minder logisch vindt hij dat hij ook voor dit huisje bijna €100 moet betalen voor milieutoeslag, bedlinnen en eindschoonmaak. En ronduit stekelig wordt hij als het toegezegde welkomstcadeau ter waarde van €40 voor het geannuleerde huisje uitblijft: 'Want daar heeft u geen gebruik van gemaakt'.
Dat is met twee maten meten! Aan die extra kosten valt niet te ontkomen, hoort ook Stekeligheden. Maar een bon voor een gratis overnachting kan er wél vanaf.
Stekeligheden, Consumentengids december 2013

3.5a Calamiteitenfonds

Wie een pakketreis boekt, betaalt een bijdrage van €2,50 voor het Calamiteitenfonds. De stichting Calamiteitenfonds Reizen (zie Adressen) heeft als doel reizigers financieel te compenseren die al onderweg zijn, maar de reis moeten aanpassen of zelfs voortijdig moeten afbreken vanwege een calamiteit (zie hierna). De hierna besproken regelingen van het Calamiteitenfonds gelden alleen als uw reisorganisatie bij de stichting is aangesloten. Dat kunt u controleren op www.calamiteitenfonds.nl.

Als er een calamiteit dreigt, bepaalt het fonds of er een dekkingsbeperking voor een bestemming geldt. U kunt op www.calamiteitenfonds.nl/dekkingsbeperkingen nagaan of er een beperking geldt voor uw bestemming. Is dat het geval, dan kunt u niet reizen met garantie van het Calamiteitenfonds.

Heeft uw bestemming een dekkingsbeperking? Dan kunt u binnen 30 dagen voor vertrek kosteloos annuleren. Bij annuleringen en afgelastingen van de reis en bij het niet-starten van een reis als gevolg van een dekkingsbeperking moet de consument zijn bijdrage aan het fonds terugkrijgen. In principe krijgt u dan de hele reissom terug, tenzij het gaat om annulering van een deel van de reis. Dan krijgt u uiteraard alleen het geannuleerde deel terug.

Duurt het langer dan 30 dagen voordat u vertrekt, dan valt annuleren niet onder de dekking van het Calamiteitenfonds. Als u toch wilt annuleren, bent u afhankelijk van de coulance van de reisorganisatie of u moet juridisch kunnen aantonen dat u redelijkerwijs niet gehouden kunt worden aan de reisovereenkomst. U kunt ook wachten tot u wel binnen de 30 dagen zit, maar dan moet de dekkingsbeperking nog wel van kracht zijn.

Wat is een calamiteit?

Een calamiteit is een 'door molest of een natuurramp veroorzaakte abnormale gebeurtenis'. Een situatie dus die veroorzaakt is door molest of een natuurramp en die zeer ongewoon is in het bezochte land in een bepaalde periode. Voorbeeld: in de Alpenlanden is sneeuw in de winter gewoon, maar het ontbreken van sneeuw is geen natuurramp en is dus geen calamiteit. Onder molest wordt onder andere verstaan: een (burger)-oorlog, opstand, oproer, terrorisme en rellen.

De Calamiteitencommissie bepaalt of een ongewone situatie te beschouwen is als een calamiteit. Als de commissie een ongewone situatie als calamiteit beschouwt, is er een uitkeringsvatbare situatie. Dat kan ook een dreigende situatie zijn, zoals een naderende orkaan.

Voorwaarden voor een uitkering

Om voor een uitkering uit het Calamiteitenfonds in aanmerking te komen, moet aan bepaalde voorwaarden zijn voldaan.

- Het moet gaan om een aangesloten organisatie.
- Er moet een uitkeringsvatbare situatie zijn, vastgesteld door de Calamiteitencommissie.
- Het moet gaan om een toeristische reisovereenkomst, een toeristische overeenkomst van vervoer of toeristische overeenkomst van verblijf. Daaronder vallen ook eigenvervoerreizen, buspendels en (losse) chartertickets (maar geen lijndiensttickets!). Losse huurovereenkomsten, zoals de huur van een auto, vallen niet onder de garantieregeling.

Als aan deze voorwaarden is voldaan, vergoedt het Calamiteitenfonds bij aanpassing van de reis (bijvoorbeeld kiezen voor een andere bestemming) de meerkosten van die aanpassing. Als de reis moet worden afgebroken, vergoedt het Calamiteitenfonds de meerkosten van de repatriëring naar Nederland en krijgt u een vergoeding voor niet-genoten reisdagen.

04 IN DE DIGITALE WERELD

Computers, internet en smartphones zijn niet meer weg te denken. Ze bieden veel gemak en plezier, maar er zitten ook haken en ogen aan.

PRIVACY

In dit hoofdstuk gaan we in op enkele veelvoorkomende kwesties waar u in de digitale wereld tegenaan kunt lopen. Mag je nu wel of niet downloaden? Hoe zit het met privacy op socialemediasites? En waar moet de overheid zich eigenlijk aan houden?
U kunt ook problemen krijgen met uw telecomprovider, bijvoorbeeld als u nota's blijft ontvangen nadat u naar een andere provider bent overgestapt. Veelvoorkomende problemen en uw rechten en plichten bespreken we in par. 4.3.

4.1 Downloaden

Officieel hoor je voor muziek en films te betalen, zodat de maker zijn verdiende loon ontvangt. Maar bestandenruilsystemen als BitTorrent worden veelvuldig gebruikt om muziek en films gratis binnen te halen. Het ongeautoriseerde onlineaanbod is zó groot, dat het als argument wordt gebruikt voor downloaden. Downloadwinkels waar betaald moet worden, zoals iTunes, hebben niet zo'n uitgebreide collectie.

4.1a Mag ik downloaden?

Tot voor kort mochten films en muziek in Nederland gedownload worden van illegale bronnen, zoalng je zelf maar niet uploadde. Het illegaal downloaden van games en software was wel strafbaar.
Begin april 2014 deed het Europees Hof van Justitie uitspraak over illegaal downloaden van muziek en films. Dat is sindsdien onrechtmatig. Staatssecretaris Teeven heeft de Tweede Kamer verzekerd dat het verbod niet zal leiden tot vervolging van consumenten en dat hij zich richt op downloadsites. Auteursrecht valt niet onder het strafrecht, maar onder het civiele recht. Deze verzekering is dus weinig waard. De entertainmentindustrie beslist immers zelf wanneer en hoe zij downloaders gaat vervolgen.
Of het onrechtmatig stellen ervan illegaal downloaden uitbant, is nog maar de vraag, want handhaving is moeilijk. Hoe weet je precies wie wat heeft gedownload? Bij downloads uit het verleden zal dit nog moeilijker zijn, dus wie al eerder heeft gedownload, hoeft niet gelijk alles van zijn pc te halen.
De Consumentenbond heeft bezwaren tegen het downloadverbod, omdat handhaving eigenlijk alleen mogelijk is door internetverkeer van consumenten te monitoren. Dat is een flinke inbreuk op de privacy van consumenten.

Weg met de thuiskopieheffing?

De thuiskopieheffing compenseert auteurs en artiesten voor het kopiëren van cd's en dvd's door consumenten en daarom ook voor illegale downloads. De heffing geldt onder andere voor lege cd's en dvd's, smartphones, hdd-recorders en laptops. Nu illegaal downloaden strafbaar is, zou je verwachten dat de thuiskopieheffing verdwijnt. Hier moet staatssecretaris Teeven nog een beslissing over nemen.

Tip

Meer informatie

Kijk voor meer informatie over downloaden en uw rechten als consument op:

- www.auteursrecht.nl;
- www.thuiskopie.nl;
- www.beuc.eu/digital-rights;
- www.indicare.org.

Laatste ontwikkeling

De Consumentenbond, Ntb (het zakelijk en juridisch expertisecentrum voor musici, dansers en acteurs) en FNV Kiem (de vakbond voor musici, dansers en acteurs) slaan een heel andere weg in dan de staatssecretaris. Zij stellen een stelsel van heffingen voor, waarmee het down- en uploaden gelegaliseerd kan worden. Creatieven, muzikanten in de hele brede zin, worden gecompenseerd met de opbrengst van de heffingen. Zo worden consumenten daadwerkelijk ontzien en krijgen artiesten de beloning waar ze recht op hebben.

4.2 Privacy

Online is er nog maar weinig privacy: zoekmachines weten alles te vinden wat online staat. En wat nog niet op internet staat, vullen mensen zelf wel aan. Bijvoorbeeld door op een netwerksite hun gegevens in te voeren en hun profiel openbaar te maken.
Via de verschillende sociale media die gebruikt worden (Twitter, Facebook, LinkedIn, Flickr, Picasa), is snel veel over iemand te achterhalen. Dat wordt versterkt doordat sommige sites, Facebook bijvoorbeeld, standaard veel gegevens voor iedereen zichtbaar maken.

Gelukkig heeft u als gebruiker wel enige controle over de zichtbaarheid van uw profiel. De meeste privégegevens zijn af te schermen voor onbekenden en u kunt ervoor kiezen informatie of berichten alleen met bekenden te delen. Maar makkelijk is dat niet. De privacyinstellingen zijn vaak goed verstopt.
Het vervelende van informatie op internet is dat u geen grip heeft op wie de informatie bekijkt en hoe ze wordt geïnterpreteerd. Door gegevens te koppelen, kan er een profiel van u gevormd worden.

ip

Voorbeeldbrieven

Het College bescherming persoonsgegevens (CBP) heeft voorbeeldbrieven opgesteld die u bijvoorbeeld kunt gebruiken als u inzicht wilt in uw gegevens, uw gegevens wilt laten verwijderen van een website of als u eerder gegeven toestemming voor gebruik van een foto wilt intrekken. Zie www.mijnprivacy.nl/voorbeeldbrieven.

Voorkomen is beter dan genezen

Eigenlijk zou u bij alles wat u op internet doet, moeten denken: wil ik dat iedereen op straat dit weet of ziet? Wilt u de informatie openbaar maken, denk dan aan het volgende.

- **Blijf anoniem: gebruik een alias of voorletter. Maar als u heel actief bent, leidt een vast alias ook tot een herleidbare geschiedenis. Het is heel moeilijk om je echt anoniem op internet te bewegen.**
- **U kunt ook een veelvoorkomende naam gebruiken, zodat informatie niet te herleiden valt.**
- **Neem een tweede (anoniem) e-mailadres, zoals Gmail of Hotmail.**
- **Maak uw profiel op een netwerksite alleen zichtbaar voor vrienden.**
- **Houd werk en privé gescheiden. Voorkom dat u onbedoeld gevoelige zaken over uw werk onthult. Bedenk ook dat u het imago van uw werkgever kunt schaden.**
- **Diensten als Twitter bieden aan om de contacten in uw e-mailadresboek als vrienden te importeren. Bedenk van tevoren dat misschien niet iedereen op uw lijst wil voorkomen.**
- **Laat het wachtwoord niet automatisch opslaan (ook niet door de browser), log uit na iedere sessie en gebruik een wachtwoord dat niet eenvoudig te achterhalen is (neem dus niet de naam van uw partner).**

4.2a Inventarisatie

Als u wilt weten wat er over u op internet te vinden is, kunt u om te beginnen uw eigen naam in Google invullen. Naast deze openbare informatie is de kans groot dat er gegevens van u zijn opgeslagen in databanken van bedrijven en instellingen. In theorie heb je in Nederland en andere EU-landen recht op inzage in de gegevens die bedrijven en instellingen opslaan. U kunt daarnaar vragen en de gegevens corrigeren of laten verwijderen. Maar in de praktijk is toegang krijgen tot opgeslagen gegevens lastig. Bits of Freedom biedt hulp met voorbeeldbrieven waarmee u inzage in uw gegevens kunt vragen, zie pim.bof.nl.

!

Smartphone en privacy

Netwerksites worden steeds meer via smartphoneapps gebruikt. Die diensten maken steeds vaker gebruik van *geotagging*: foto's worden voorzien van informatie over de locatie. Bedrijven spelen hierop in, door apps te ontwikkelen waarop precies zichtbaar is waar je vrienden nu zijn. Die informatie is ook interessant voor reclamemakers en ongure figuren. Mensen die online erg actief zijn, laten zo een kruimelspoor achter.
Het toestel zelf vormt ook een risico: laat een smartphone ergens liggen en de vinder heeft toegang tot uw mail, adresboek en sociale netwerken. Beveilig uw telefoon daarom met een wachtwoord of pincode, zodat mensen niet direct bij uw gegevens kunnen.
Bij veel apparaten zijn bestanden ook eenvoudig door kwaadwillenden uit te lezen zonder dat het wachtwoord is ingevoerd. Gelukkig kunt u vaak de gegevens op uw smartphone op afstand wissen. Dit moet u wel van tevoren op uw telefoon instellen.
Voor laptops is er geen gratis wissen-op-afstanddienst. Er zijn wel betaalde diensten, maar die zijn redelijk duur (€50 per jaar).

Tip

Anonieme zoekmachine

Grote kans dat u zoekt via Google. Deze zoekmachine slaat allerlei gegevens over haar gebruikers op. De Nederlandse zoekmachine Ixquick (www.ixquick.nl) bewaart zoekopdrachten van gebruikers niet langer dan 48 uur. Ixquick is een metazoekmachine, ze doorzoekt minstens tien veelgebruikte zoekmachines, maar de gebruiker blijft anoniem.

4.2b Bescherming persoonsgegevens

Volgens de Grondwet heeft iedereen recht op eerbiediging van de persoonlijke levenssfeer. Uw rechten en de regels waar ondernemers zich aan moeten houden, staan in de Wet bescherming persoonsgegevens (WBP). Het College bescherming persoonsgegevens (CBP) ziet toe op de naleving van deze wet. Als u een geschil heeft over de aantasting van uw privacy, kunt u dit aan het CBP doorgeven en daar advies vragen. Het CBP kan eventueel (kosteloos) bemiddelen in uw geschil. Meer informatie vindt u op www.mijnprivacy.nl en www.cbpweb.nl.

De WBP regelt het gebruik van persoonsgegevens (gegevens die te herleiden zijn tot één bepaalde persoon). Het gaat in de digitale wereld niet alleen om uw naam en adres, maar bijvoorbeeld ook om uw e-mailadres, IP-adres en Facebookaccount. De WBP bevat twee belangrijke elementen:

1. U moet 'voorafgaande toestemming' geven voor de verwerking van persoonsgegevens.
2. De gegevens mogen alleen worden gebruikt voor het doel waarvoor u ze heeft gegeven en niet voor iets anders. Dat heet doelbinding.

Volgens de WBP heeft u verder recht op:

- informatie: het bedrijf moet toestemming vragen voor het gebruik van de gegevens en aangeven waarvoor deze worden gebruikt (dat kunt u meestal nalezen in de privacyclausule in de algemene voorwaarden);
- inzage: u moet de over u verzamelde gegevens kunnen inzien;
- correctie en verwijdering: als de informatie onjuist is of verkeerd wordt gebruikt, kunt u de gegevens laten aanpassen, afschermen of verwijderen;
- verzet: als u wordt benaderd door bedrijven, kunt u het bedrijf verzoeken daarmee te stoppen. Bij direct marketing moet het bedrijf daar gehoor aan geven.

Voor foto's is de wet nog strenger. Die mogen alleen worden geplaatst als u vooraf uitdrukkelijk toestemming heeft gegeven. Alleen voor journalistiek gebruik gelden uitzonderingen. U kunt eenmaal gegeven toestemming altijd weer intrekken. Daarvoor kunt u een brief sturen naar de webmaster.

Naast de WBP bestaan er wetten die computervredebreuk (inbraak in een computer of account), gegevensdiefstal (met een technisch hulpmiddel

gegevens aftappen) en identiteitsfraude (misbruik maken van iemands identiteit voor oplichting of diefstal) indammen.
Helaas biedt de Nederlandse wet nog geen volledige bescherming van uw onlineprivacy. Als u bijvoorbeeld uw computer onbeheerd achterlaat, uw wachtwoord laat rondslingeren of iemand over uw schouder mee laat kijken, is degene die hier misbruik van maakt niet strafbaar.

Benut uw rechten

Ik wil zien wat er over mij is opgeslagen.

Stuur een e-mail of brief waarin u vraagt om inzage in uw gegevens naar het betrokken bedrijf. U kunt zich ook wenden tot de 'Privacy Inzage Machine' van Bits of Freedom. Via pim.bof.nl kunt u inzageverzoeken genereren.
Het bedrijf moet binnen vier weken de informatie geven en mag daarvoor maximaal €5 per verzoek in rekening brengen. Als het dossier meer dan 100 pagina's beslaat, mag de vergoeding maximaal €22,50 zijn.

De informatie klopt niet.

Stuur een e-mail of brief naar de organisatie waarin u vraagt de informatie aan te passen.

Mijn persoonsgegevens worden zonder toestemming gebruikt voor ongevraagde reclame.

Stuur een brief of e-mail naar de betrokken instantie. Vraag ze daarin te stoppen met het gebruik van uw persoonsgegevens voor commerciële of oneigenlijke doeleinden.
Als het gaat om direct marketing (gerichte reclame in de vorm van e-mails of telefoontjes), hoeft u het verzoek niet te motiveren. Als het bedrijf niet (naar tevredenheid) reageert, kunt u naar de rechter stappen met een beroep op de WBP.

4.2c Informatie van internet af krijgen

Informatie op internet zetten, is zo gepiept. Maar als de informatie eenmaal online staat, is het een hele klus die er weer vanaf te krijgen. Ook al heeft u daar wettelijk gezien recht op.
Komt u informatie over uzelf tegen die u graag wilt verwijderen? Volg dan het volgende stappenplan.

STAP 1 Kijk bij de FAQ's

Zoek op de website hoe u informatie kunt verwijderen, bijvoorbeeld bij de FAQ's (*frequently asked questions*).

STAP 2 Raadpleeg de webmaster

Op de website is meestal het e-mailadres van de webmaster te vinden (soms in kleine lettertjes onderaan). Als u het niet vindt, ga dan naar www.sidn.nl. Daar kunt u, via het menu 'Whois', de gegevens van webmasters van alle in Nederland geregistreerde websites achterhalen.

STAP 3 Neem contact op met de hostingprovider

Kunt u de webmaster niet bereiken of weigert deze uw verzoek, dan kunt u contact opnemen met de hostingprovider. Dat is het bedrijf dat de website in de lucht houdt. Via de 'Whois' op www.sidn.nl vindt u de *registrar*, dat is de partij die namens de klant het domein heeft aangevraagd. Dat is vaak de hostingprovider, maar zeker niet altijd. Het succes wisselt daarom nogal.

STAP 4 Vraag Google de link te verwijderen

Als het ook via de hostingprovider niet lukt, kunt u vragen of Google de link naar de website waarop de ongewenste informatie staat, wil verwijderen. Google moet sinds mei 2014 van het Europees Hof van Justitie meewerken aan het verwijderen van zoekresultaten waarin de naam van een persoon voorkomt en van zoekresultaten die niet langer relevant zijn. De informatie is dan alleen verwijderd uit de zoekresultaten van Google, en staat nog steeds online. Via andere zoekmachines is de pagina dus nog wel bereikbaar. Voor bepaalde gegevens heeft Google een snellere route om de link te verwijderen. Het gaat dan om:

- uw burgerservicenummer;
- uw bankrekening- of creditcardnummer;
- een afbeelding van een handgeschreven handtekening;
- uw volledige (bedrijfs)naam op een sekssite.

Ga in zo'n geval naar support.google.com/webmasters en klik op *Inhoud verwijderen uit Google zoeken*. Klik in het volgende scherm op *Inhoud verwijderen van de site van iemand anders*. Doorloop daarna de stappen om de informatie te laten verwijderen.

STAP 5 Googleaccount: stel meldingen in
Als u een Googleaccount heeft, kunt u via www.google.com/alerts meldingen instellen. U krijgt dan een melding als uw persoonlijke gegevens op een website of blog worden gepubliceerd of op een andere pagina worden opgenomen in de zoekmachine van Google.

STAP 6 Naar de rechter
Als de vorige stappen niets uithalen, rest alleen nog de gang naar de rechter. Win advies in bij het Juridisch Loket (zie par. 1.4a) of neem een advocaat in de arm die gespecialiseerd is in internetrecht.

Tip

Meer informatie

Veel meer informatie en praktische tips over de beveiliging van uw computer en over uw privacy op internet vindt u in ons boek *Online privacy & veiligheid*.

4.2d En de overheid?

De overheid mag veel meer dan het bedrijfsleven. Zij mag alle opgeslagen gegevens gebruiken voor opsporingsonderzoeken. De aandacht hiervoor is enorm gegroeid door de openbaarmakingen over de NSA van klokkenluider Edward Snowden. De overheid is hierbij gebonden aan de Telecommunicatiewet.
In grote lijnen komt het erop neer dat aftappen, afluisteren of op een andere manier onderscheppen van communicatie via een openbaar elektronisch communicatienetwerk verboden is, tenzij:

- de betrokken abonnee voor deze handelingen zijn uitdrukkelijke toestemming heeft gegeven (mits hij eerst te horen heeft gekregen welke soort gegevens afgetapt worden, waarvoor en hoelang). Hij kan zijn toestemming overigens op elk moment intrekken;
- deze handelingen noodzakelijk zijn om de integriteit en de veiligheid van de netwerken en diensten van de betrokken aanbieder te waarborgen;
- deze handelingen noodzakelijk zijn voor het overbrengen van informatie via de netwerken en diensten van de betrokken aanbieder;
- deze handelingen noodzakelijk zijn ter uitvoering van een wettelijk voorschrift of rechterlijk bevel.

De politie heeft een bevel van de officier van justitie of rechter-commissaris nodig voor ze kan aankloppen bij providers en telecombedrijven voor inzage in persoonlijke gegevens. Inlichtingendiensten hebben de handtekening van de minister van Binnenlandse Zaken nodig.

Telefoontap

Als de politie een goede reden heeft om de telefoon van iemand af te luisteren, geeft de rechter-commissaris een tapbevel af. Telecombedrijven zijn dan verplicht met de politie mee te werken. Nederland is het land met de meeste telefoontaps ter wereld.

Bewaarplicht

Internetaanbieders en telecombedrijven hebben een bewaarplicht, gebaseerd op de Wet bewaarplicht telecommunicatiegegevens. Zij moeten de 'verkeersgegevens' van hun klanten bewaren. Bij telefonie geldt een termijn van 12 maanden voor het vastleggen van onder andere gebelde telefoonnummers en de locatie van de beller. Bij internet gaat het vooral om e-mail (adres ontvanger, tijdstip) en is de bewaartermijn zes maanden. De inhoud van gesprekken of e-mails valt uitdrukkelijk niet onder de bewaarplicht. Ook de adressen van bezochte websites vallen hier niet onder.

4.2e Cookies

Een cookie is een klein tekstbestand dat tijdens uw bezoek aan een website op uw computer wordt geplaatst. In dit tekstbestand wordt informatie opgeslagen die bij een later bezoek weer herkend kan worden door de website.

Sommige cookies zijn echt nodig, omdat de website het anders niet doet. Er zijn ook cookies die handig zijn voor uzelf, bijvoorbeeld omdat ze onthouden in welke taal u de website wilt lezen. Maar veel cookies worden gebruikt om bij te houden wat u op internet doet. Dat kan botsen met uw privacy. Mag dat zomaar?

Ja, maar de Telecommunicatiewet schrijft wel een aantal regels voor waar de eigenaar van de website zich aan moet houden. Zo moet hij u toestemming vragen voor het plaatsen van een cookie op uw computer en informatie over de cookie geven. U kunt dus zelf bepalen of een website cookies op uw computer mag plaatsen.

De regels gelden voor elke website die cookies plaatst, dus ook voor buitenlandse websites. Ze zijn bovendien niet alleen van toepassing op computers, maar ook op smartphones, tablets en spelcomputers. Ze gelden ook voor andere technieken, zoals Javascripts, zolang deze gegevens opslaan en toegang krijgen tot gegevens op de computer.

Noodzakelijke cookies

Cookies die strikt noodzakelijk zijn voor de werking van de website, mogen zonder uw toestemming geplaatst worden. De regels gelden ook niet voor cookies die noodzakelijk zijn voor een door u gevraagde dienst, bijvoorbeeld een cookie die nodig is om af te rekenen bij een webshop.

Toestemming

Een website slaat uw toestemming meestal op in een cookie. Uw toestemming geldt dan zolang deze toestemmingscookie op uw computer staat. Hoelang de cookie op uw computer wordt opgeslagen, wordt meegedeeld als om uw toestemming wordt gevraagd. U hoeft dus niet bij elk bezoek aan de website opnieuw toestemming te geven. Als u de cookie van uw computer verwijdert, trekt u uw toestemming weer in.

Tip

Cookies verwijderen

Hoe u een cookie verwijdert, hangt af van uw internetbrowser. Gebruik de helpfunctie van uw internetbrowser om te kijken hoe u cookies kunt verwijderen.

In de *Digitaalgids* van maart/april 2011 leest u hoe u cookies van uw pc verwijdert en hoe u voorkomt dat ze erop komen.

Geen toestemming

Als u cookies weigert, is een website niet verplicht om u toegang tot de website te geven. De Autoriteit Consument & Markt (ACM) moedigt websites aan een oplossing te zoeken voor mensen die cookies weigeren en die toch graag de website willen bekijken.

Overtreding
Houdt een website-eigenaar zich niet aan de regels voor cookies? Neem dan contact met hem op. Meld uw klacht ook bij ConsuWijzer. ConsuWijzer registreert uw klacht en geeft deze door aan de ACM. Uw klacht wordt niet individueel behandeld, maar de ACM gebruikt uw klacht voor onderzoek naar mogelijke overtredingen.

4.2f Meldplicht telecomaanbieders

De meeste telecomaanbieders gaan zorgvuldig om met de persoonsgegevens van hun klanten. Toch gaat er soms iets mis en komen bijvoorbeeld inloggegevens op straat te liggen. De Telecommunicatiewet bepaalt dat telecomaanbieders alle beveiligingsincidenten waar persoonsgegevens bij betrokken zijn, moeten melden bij de ACM. Voor andere bedrijven, zoals webshops of energiebedrijven, geldt deze plicht nog niet. Wel ligt er medio 2014 een voorstel bij de Tweede Kamer om ook bedrijven en overheden te verplichten datalekken te melden.
Als het incident ongunstige gevolgen voor de persoonlijke levenssfeer van klanten heeft, moeten de telecomaanbieders ook de getroffen klanten inlichten. De klant kan dan zelf actie ondernemen om verdere schade te voorkomen, bijvoorbeeld het blokkeren van een creditcard of het wijzigen van een wachtwoord.
Alle beveiligingsincidenten rond persoonsgegevens vallen onder de meldplicht, grote én kleine. Het is niet belangrijk om hoeveel persoonsgegevens het gaat. Zelfs incidenten waarbij slechts één wachtwoord of creditcardnummer gelekt is, vallen eronder.
Het meldloket van de ACM is niet bedoeld voor consumenten. Als een klant een beveiligingsincident ontdekt, raadt de ACM hem aan direct de telecomaanbieder te informeren. Die is vervolgens verplicht het incident bij de ACM te melden.
De ACM bekijkt of de telecomaanbieder het incident heeft opgelost en of getroffen klanten moeten worden ingelicht. Zo ja, dan kijkt de ACM of de telecomaanbieder dat op een goede manier heeft gedaan. Een melding kan verder reden zijn om de beveiliging van de aanbieder kritisch te onderzoeken. Meldingen worden tot de bedrijfsvertrouwelijke gegevens gerekend en daarom niet openbaar gemaakt.

4.3 Telecomproviders

Telecombedrijven moeten zich houden aan de Telecommunicatiewet. Ze moeten er onder andere voor zorgen dat de telefoonrekening begrijpelijk is, dat u bedrijven eenvoudig kunt vergelijken en dat het nummerbehoud goed geregeld is. De ACM houdt toezicht op de naleving van deze regels.

4.3a Voldoende informatie

Een telecomaanbieder moet voor of tijdens het sluiten van een overeenkomst met een consument hem de volgende informatie geven, in een heldere, begrijpelijke vorm op schrift of op een eenvoudig toegankelijke duurzame gegevensdrager:

- de naam en het adres van vestiging van de aanbieder;
- de te verstrekken diensten;
- de geldende tariefstructuur, de belangrijkste tarieven, de wijze waarop informatie verkregen kan worden over de geldende tarieven en onderhoudskosten, de wijze waarop betaald kan worden en de kosten die aan deze betalingswijzen zijn verbonden;
- de duur van de overeenkomst en de voorwaarden waaronder de overeenkomst of onderdelen daarvan, kan worden verlengd of beëindigd;
- de schadevergoedingsregeling of terugbetalingsregeling die geldt als het kwaliteitsniveau van de geleverde dienst niet wordt nagekomen;
- waar een consument met een klacht terechtkan (zie par. 4.3e);
- de keuzemogelijkheden van de abonnee met betrekking tot de vraag of zijn persoonsgegevens al dan niet worden opgenomen in een abonneelijst en in voor abonnee-informatiediensten gebruikte abonneebestanden en met betrekking tot de op te nemen gegevens;
- de maatregelen die de onderneming neemt of kan nemen in reactie op beveiligings- en integriteitsincidenten of bedreigingen en kwetsbaarheden.

Iedere seconde telt

De Telecommunicatiewet schrijft voor dat een provider van een openbare telefoondienst een consument de mogelijkheid biedt om minimaal één overeenkomst aan te gaan:

- **waarbij geen starttarief in rekening wordt gebracht;**
- **waarbij de gespreksduur in seconden in rekening wordt gebracht;**

- **waarbij, als de aanbieder ook abonnementen aanbiedt waarbij de gespreksduur niet in seconden in rekening wordt gebracht, het tarief, gezien de overige voorwaarden van de overeenkomst, vergelijkbaar is met het tarief bij de andere door de aanbieder aangeboden abonnementen.**

4.3b Overstappen

De meeste internetproviders beloven dat u bij een overstap binnen 24 uur weer online bent. Nog te vaak duurt het langer. In het kader 'Overstappen zonder zorgen' op pag. 110 vindt u tips voor een soepele overstap. Enkele jaren geleden lanceerden internetproviders een overstapservice, waarbij een aanvraag bij een nieuwe aanbieder automatisch een opzegging is bij de oude aanbieder. Maak dus gebruik van de overstapservice van de nieuwe aanbieder. Die moet zorgen voor opzegging en verhuizing. Het is zijn verantwoordelijkheid dat alles goed komt met maximaal 24 uur onderbreking.

Bellen, bellen, bellen

Fijn, zo'n abonnement met draadloze router van glasvezelbedrijf Lijbrandt. Alleen jammer dat Erwin Wenzler uit Eerbeek al zes weken wacht tot de router wordt geleverd. En het tiental telefoontjes dat Wenzler pleegt, maakt de verwarring alleen maar groter. De ene Lijbrandtmedewerker zegt dat het apparaat is opgestuurd, een paar dagen later zegt een andere van niet. Bij telefoontje nummer zoveel krijgt Wenzler een ticketnummer van het pakketje waarin zijn router opgestuurd zou zijn. Hoop gloort, maar helaas: er zit wéér geen router bij de post.
Wenzler besluit dat het tijd is om Stekeligheden in te schakelen. Twee dagen later is de router er. Toch jammer dat Lijbrandt dan pas luistert.
Stekeligheden, Consumentengids januari 2014

Overstapservice Consumentenbond

Via www.consumentenbond.nl/bespaar kunnen consumenten gebruikmaken van de Overstapservice internet, bellen en digitale tv. Leden die van deze service gebruikmaken, krijgen bovendien binnen twee maanden een overstapbonus op hun rekening gestort.

Overstappen zonder zorgen

Denk aan de volgende zaken als u wilt overstappen naar een andere provider:

1. **Check de opzegtermijn en de einddatum van het huidige contract. Houd rekening met doorlopende kosten bij voortijdige opzegging.**
2. **Kies uw nieuwe provider minimaal vier weken (check de levertijd) vóór de gewenste overstapdatum.**
3. **Heeft uw nieuwe provider een overstapservice die op zijn website staat? Zo ja, volg de vermelde procedure. Zo nee, check de beschikbaarheid en aanvraagtermijn bij de nieuwe provider. Doe een aanvraag. Volg bij de nieuwe provider de procedures voor het eventueel overzetten van uw telefoon met nummerbehoud.**
4. **Stapt u over van ADSL naar ADSL? Zo ja, zeg dan op bij de oude provider na ontvangst van de nieuwe aansluitdatum. Kies als einddatum de aansluitdatum. Vermeld hierbij duidelijk 'overstap naar [nieuwe providernaam]'. Zo nee, annuleer de oude aansluiting op een datum na de start van het nieuwe abonnement. Neem dit ruim: het liefst enkele weken.**

Foutloos overstappen naar combinatiedienst

Steeds meer mensen kiezen voor een combinatiedienst: bellen, internet en tv-kijken bij één provider. Wanneer u overstapt naar een combinatiedienst is dit ons advies:

1. Bepaal aan de hand van uw internet- en belgedrag welk abonnement bij u past. Let op kosten, acties, snelheden, contractduur en voorwaarden.
2. Doe de postcodecheck op de website van de provider van uw keuze. Dan ziet u of het abonnement op uw postcode beschikbaar is.
3. Bekijk het contract van uw huidige abonnement en let op de einddatum en de opzegtermijn.
4. Meld u via de website van de provider aan voor het nieuwe abonnement. Gebruik de datum waarop uw huidige abonnement afloopt als aansluitdatum voor het nieuwe abonnement. Zo heeft u tijdens de installatie hooguit een dag geen internetverbinding. Geef aan dat u een overstapper bent en (desgewenst) dat u uw telefoonnummer wilt behouden. Vraag om een bevestiging.

5. Zeg na de bevestiging uw huidige contract op en meld dat u overstapt naar een andere aanbieder. Verzoek het ADSL-signaal op de lijn actief te laten (geldt niet bij een overstap naar de kabel), zodat de nieuwe provider de verbinding zonder onderbreking kan voortzetten. Vraag om een bevestiging.
6. Vervolgens kunt u binnen een dag na het aflopen van uw huidige abonnement gebruikmaken van de diensten van het nieuwe abonnement, calamiteiten uitgezonderd.

Houd er wel rekening mee dat sommige providers van gebundelde diensten de opzegdatum hanteren van de laatst afgesloten dienst. Heeft u bijvoorbeeld een jaar geleden een internetabonnement afgesloten en daar een halfjaar later een telefonieabonnement aan gekoppeld, dan geldt de opzegdatum van het telefonieabonnement ook voor het internetabonnement.

Prepaid-put

Koop je een prepaidtelefoon voor je zoon van 11 om de kosten te beheersen, krijg je toch een rekening van €174. 'Het is gewoon schandalig', briest de heer X. Telecomprovider Simyo blokkeert prepaidkaarten namelijk niet als het beltegoed op is, 'als service om het gesprek af te kunnen maken'.
Door deze open achterdeur kan het gebeuren dat X junior in *no time* 250 MB erdoorheen raast en €174 moet bijbetalen. 'Dat kan toch niet de bedoeling zijn van prepaid?'
Simyo scheldt het bedrag kwijt, maar dit lijkt een cruciale weeffout in het systeem. Gaat Simyo dit aanpakken? Simyo: 'Het is wel onze wens en het plan om dit begin 2014 technisch gereed te hebben.'
Bits, Digitaalgids januari 2014

4.3c Wijziging in voorwaarden of prijs

Uw rechten en plichten tegenover een telecomaanbieder staan omschreven in de algemene voorwaarden. Die mag de aanbieder niet zomaar veranderen. Dat geldt ook voor de prijs.
Als de aanbieder de voorwaarden of de prijs wil wijzigen, moet hij u minstens vier weken van tevoren precies vertellen wat de verandering

inhoudt. Als de wijziging voor u nadelig is – op welk punt dan ook – mag u zonder verdere kosten uw abonnement opzeggen. Daar moet uw aanbieder aan meewerken. Doet hij hier moeilijk over of verbindt hij voorwaarden aan het opzeggen, neem dan contact op met de AMC (zie Adressen).

Als de algemene voorwaarden of prijzen moeten worden aangepast op basis van een wetswijziging, kunt u het abonnement niet zomaar opzeggen. Dat geldt ook als in de overeenkomst een periodieke, duidelijk omschreven prijsverhoging is opgenomen. Dan is er in beginsel namelijk geen sprake van een wijziging van de voorwaarden, omdat u bij het sluiten van de overeenkomst akkoord bent gegaan met de periodieke wijziging.

Blijvertje

Nadat hij zijn contract met Tele2 opgezegd heeft, krijgt Vincent van der Tuin uit Enschede een aangetekende brief waarin wordt bevestigd dat het contract en de automatische incasso beëindigd worden. Maar Van der Tuin blijft facturen en betalingsherinneringen ontvangen.
En hij blijft bezig de klantenservice te herinneren aan zijn opzegging. Tele2 blijft hardnekkig beweren dat die opzegging niet terug te vinden is; Van der Tuin moet gewoon betalen. Stekeligheden blijft kalm en vraagt om uitleg. 'Wij hebben een fout gemaakt bij de verwerking van de opzegging', laat Tele2 weten, 'waardoor meneer volledig ten onrechte facturen heeft ontvangen.'
Van der Tuin krijgt de ten onrechte betaalde bedragen terug, maar blijft toch echt klant bij zijn nieuwe provider.
Stekeligheden, Consumentengids mei 2014

Triple-play

Triple-play is handig: één abonnement voor telefoon, televisie en internet. Maar wat als er in de voorwaarden of de prijs iets verandert? Mag u dan alles opzeggen? Als u vanaf het begin één contract heeft voor alle drie, mag dat volgens de richtlijnen van de ACM inderdaad.
Heeft u niet direct in het begin een contract voor alle drie de diensten gesloten, dan kunt u alleen het onderdeel opzeggen waarvan de voorwaarden of de prijs wijzigen.

Voor de beantwoording van de vraag of er sprake is van één contract voor meerdere diensten gelden de volgende uitgangspunten:

- **Worden de diensten tegelijkertijd via één bestelprocedure aangeboden?**
- **Worden de diensten onder één aanduiding of naam aangeboden?**
- **Worden de diensten tegen één tarief aangeboden?**
- **Zijn de diensten technisch gezien onlosmakelijk verbonden?**

Hoe vaker het antwoord 'ja' is, hoe duidelijker gaat het om één contract.

4.3d Opzeggen

Wat als u van een dienst van een telecomaanbieder geen gebruik meer wenst te maken? Volgens de Telecommunicatiewet mag u een overeenkomst tot de levering van een elektronische communicatie- of programmadienst die is aangegaan voor een onbepaalde duur, te allen tijde kosteloos opzeggen, met een opzegtermijn van maximaal een maand.

Stilzwijgende verlenging

Doorgaans sluit u een telecomabonnement af met een vaste looptijd, vaak één of twee jaar. Als u het abonnement niet opzegt, mag de aanbieder het contract automatisch ('stilzwijgend') verlengen, maar alleen voor een periode van een jaar. Na een stilzwijgende verlenging kunt u het abonnement opzeggen wanneer u wilt, met een opzegtermijn van maximaal één maand. Die maand gaat direct lopen op de dag dat u uw contract opzegt.

Deze korte opzegtermijn geldt niet als u zelf heeft ingestemd met een abonnementsverlenging. De verlenging is dan immers niet stilzwijgend. Ook als u als ondernemer een zakelijk abonnement heeft, geldt de opzegtermijn van een maand niet.

De maand opzegtermijn voor contracten die stilzwijgend verlengd zijn, geldt voor alle abonnementen. Tijdschriften zijn de enige uitzondering: als het blad minimaal één keer per maand verschijnt, is de opzegtermijn een maand. Verschijnt het blad minder dan één keer per maand, dan geldt een opzegtermijn van drie maanden.

Opzeggen vanwege haperende dienst

Als er een probleem is met uw telefoon, televisie of internet kunt u de overeenkomst niet direct ontbinden. U moet de maatschappij namelijk

eerst de gelegenheid geven de problemen te verhelpen. Omschrijf in een brief de problemen per dienst en geef de maatschappij de gelegenheid ze binnen een redelijke termijn te verhelpen. Wat een redelijke termijn is, hangt af van de omstandigheden.
Pas als de aanbieder niet binnen een redelijke termijn aan uw verzoek kan of wil voldoen, kunt u in het uiterste geval van uw overeenkomst af. U moet de maatschappij dan wel in een brief melden dat u het contract voor alle drie de diensten wilt laten ontbinden. Dit kan overigens alleen als de problemen echt ernstig en niet aan u te wijten zijn.
Komt u er met de aanbieder niet uit, dan kunt u mogelijk de Geschillencommissie Centrale Antenne Inrichtingen, Elektronische Communicatiediensten of Telecommunicatie (zie De Geschillencommissie bij de Adressen) inschakelen. Deze behandelen geschillen tussen consumenten en telecommaatschappijen die bij de commissie zijn aangesloten en doen hierover een bindende uitspraak.
Is de aanbieder niet aangesloten bij deze geschillencommissie, dan zult u naar de rechter moeten. Vraag dan wel eerst informatie op bij een rechtswinkel, het Juridisch Loket of uw rechtsbijstandsverzekeraar (zie par. 1.4a). De weg naar de rechter is lang en kostbaar; u moet dus wel enige zekerheid hebben dat deze stap de moeite waard is en kans van slagen heeft.

Beëindiging toegang tot internet

Een telecombedrijf dat toegang tot internet biedt, kan die toegang niet zomaar blokkeren. Hij mag de toegang slechts geheel of gedeeltelijk blokkeren of opschorten:

- **op verzoek van de abonnee;**
- **bij een tekortkoming in de nakoming van de betalingsverplichting door de abonnee of faillissement van de abonnee;**
- **bij bedrog in de zin van artikel 3:44 van het Burgerlijk Wetboek door de abonnee;**
- **wanneer de looptijd van de overeenkomst van bepaalde duur tot levering van de internettoegangsdienst afloopt en de overeenkomst met instemming van de abonnee niet wordt verlengd of vernieuwd;**
- **ter uitvoering van een wettelijk voorschrift of rechterlijk bevel;**
- **bij overmacht en onvoorziene omstandigheden in de zin van artikel 6:258 van het Burgerlijk Wetboek.**

Totaalpakket ellende

Voor Martijn Biemans uit Dirkshorn is het totaalpakket televisie, internet en bellen van Telfort een molensteen. In september 2012 laat Telfort weten het pakket niet te kunnen leveren wegens 'gebrek aan capaciteit'. Biemans kiest een andere provider. Maanden later ploft een 'slotnota' van Telfort in de brievenbus: €530 aan abonnementskosten en boete, omdat binnen een jaar is opgezegd.
Biemans protesteert en stuurt bewijzen, maar de aanmaningen stapelen zich op. Het geschil sleept zich voort, totdat Biemans Stekeligheden mailt. Telfort laat weten dat er tóch internet is geleverd. Maar de provider kan zich voorstellen dat 'de klant dacht dat er geen lijn geleverd is geweest'. De rekening wordt kwijtgescholden. Biemans kan zijn geluk niet op: 'Stekeligheden, bedankt!'
Stekeligheden, Consumentengids juni 2014

4.3e Klacht?

Probeer er bij een klacht altijd eerst samen met de telecomprovider uit te komen. Lukt dat niet, dan kunt u misschien met uw klacht terecht bij een geschillencommissie. Op www.degeschillencommissie.nl kunt u zien bij welke commissie u terechtkunt. Dat is handig, want zo'n geschillenbeslechting is laagdrempeliger, sneller en veel voordeliger dan een gang naar de rechter.
U kunt uw klacht ook altijd als signaal aan de ACM doorgeven; wellicht doet deze instantie er iets mee.

4.4 Telefoonterreur

4.4a Betaalde sms-diensten

Een paar jaar geleden gaven betaalde sms-diensten grote overlast. Ringtones, spelletjes, horoscopen en informatie werden voor veel geld via de sms verstuurd. Opzeggen was moeilijk en de telefoonrekening torenhoog. Mede dankzij inzet van de Consumentenbond, greep de overheid in en werden bepalingen ter versterking van de positie van de consument opgenomen in de Telecommunicatiewet.
Sms-diensten worden geleverd op basis van een overenkomst tussen de

gebruiker van de telefoon en de aanbieder van de sms-dienst. Dit is vaak een andere partij dan de telecomprovider, maar de afrekening verloopt vaak wel via de telefoonrekening. De telecomprovider brengt dus bij zijn abonnee kosten in rekening voor diensten van een ander.
In de Telecommunicatiewet is onder andere vastgelegd dat de mobiele providers klanten niet meer zomaar mogen afsluiten als de klant een klacht in heeft gediend over kosten voor ongewilde sms-diensten. Bovendien moet de consument bij alle sms-diensten boven de €1,50 duidelijk akkoord zijn gegaan met afrekening via de telefoon.

Tip

Contract met onbepaalde looptijd

Als u een contract met onbepaalde looptijd heeft, geldt altijd maximaal één maand opzegtermijn. Ook wanneer de aanbieder zegt dat dit niet zo is.

Afmelden

Heeft u zich per ongeluk aangemeld voor een betaalde sms-dienst, dan kunt u zich eenvoudig weer afmelden. Bij de schriftelijke bevestiging van de aanmelding moet aangegeven zijn hoe u de dienst kunt opzeggen. Bovendien hoort uw provider deze informatie op zijn site te heben voor alle sms-diensten die gebruikmaken van zijn netwerk. U kunt ook terecht op www.payinfo.nl. Hier kunt u betalingen inzien die met uw telefoon zijn gedaan en lopende abonnementen eenvoudig stoppen.

Tip

Liever voorkomen

Op www.payinfo.nl – de site van de gezamenlijke mobiele aanbieders – kunt u uw mobiele nummer blokkeren voor sms-diensten en zo voorkómen dat er ongewild een abonnement wordt afgesloten.

Klacht ongevraagde sms-dienst

Kosten voor een sms-dienst worden doorberekend via de telefoonrekening. Met een klacht over kosten voor een dienst waarvoor u zich niet heeft aangemeld, moet u daarom in eerste instantie bij de telefoonaanbieder zijn. Zorg er allereerst voor dat u zich afmeldt voor de sms-dienst (zie 'Afmelden' hiervoor).

Dien binnen twee maanden na de factuurdatum een klacht in bij uw telefoonaanbieder (een voorbeeldbrief vindt u op www.consuwijzer.nl). Als u een abonnement heeft, mag de provider de klacht alleen afwijzen als hij kan bewijzen dat u zich bewust voor de dienst heeft afgemeld. Tot die tijd mag hij uw abonnement niet stopzetten als u niet voor de dienst betaalt.
Komt u er met de provider niet uit, dan kunt u naar de Geschillencommissie Telecommunicatie stappen (zie Adressen). Die beoordeelt de klacht en doet een bindende uitspraak. Als u in het ongelijk wordt gesteld, moet u alsnog de rekening voldoen. Anders kan de provider uw abonnement opschorten of beëindigen.

4.4b Telemarketing

Een andere telefoonergernis is telemarketing: telefoontjes waarin iemand u een dienst of een product probeert te verkopen, meestal rond etenstijd.

Spam?
Voor het adverteren via e-mail gelden strenge regels. Bedrijven moeten in de onderwerpregel duidelijk maken dat het om reclame gaat en ontvangers moeten zich via een link eenvoudig kunnen afmelden. Spam is officieel verboden in of vanuit Nederland. De ontvanger moet van tevoren toestemming hebben gegeven voor het versturen van e-mailberichten. Bij bestaande klanten is deze toestemming niet vereist. Klachten over spam kunt u doorgeven op www.spamklacht.nl.

Telefonische verkoop
Er zijn verschillende manieren om van opdringerige verkooptelefoontjes af te komen. U kunt ze voorkomen door u in te schrijven in het Bel-me-niet-Register (www.bel-me-niet.nl). Als u zich hier heeft aangemeld, mogen bedrijven u niet meer telefonisch benaderen voor commerciële, charitatieve of ideële doeleinden. Dit verbod geldt niet als u klant bent (geweest) van dat bedrijf of als u om telefonische communicatie heeft gevraagd.
U kunt ook tijdens zo'n vervelend telefoontje duidelijk maken dat u niet meer (terug)gebeld wilt worden. Het bedrijf is dan verplicht u gratis en meteen uit zijn belbestand te halen en u aan te melden bij het Bel-me-niet-Register. Als u persoonlijk aan een bedrijf doorgeeft dat u niet meer

gebeld wilt worden, moeten ze u uit hun bestand halen. Ook als u klant van dat bedrijf bent (geweest).
Heeft u zich ingeschreven in het Bel-me-niet Register en wordt u toch gebeld, dan kunt u een klacht indienen bij ConsuWijzer. Houd er wel rekening mee dat het na inschrijving maximaal zes weken kan duren voordat uw aanmelding in alle bellijsten is doorgevoerd.
Wat uw rechten zijn bij telemarketing, leest u in par. 2.3d.

Internet in het buitenland

De tarieven van mobiel internet in het buitenland zijn nog altijd erg hoog, al worden deze in Europa jaarlijks stapsgewijs verlaagd. De Europese Commissie wil vanaf december 2015 de roamingkosten helemaal afschaffen.
Tot die tijd is mobiel internet in de EU gebonden aan een limiet van 24 cent per MB (juli 2014) en aan een plafond van €59,50 per maand. Als u dit plafond nadert, krijgt u een sms-bericht als waarschuwing. Als de limiet daadwerkelijk is bereikt, wordt mobiel internet geblokkeerd. U kunt er pas op de eerste dag van de volgende maand weer gebruik van maken. Door per sms of telefoon contact op te nemen met de provider kan de blokkering direct ongedaan worden gemaakt.

Laptop op zwerftocht

De laptop van Marc Zegers uit Leuth begeeft het en hij stuurt hem terug naar Asus ter reparatie. Eerst krijgt Zegers een verkeerde prijsopgave. Vervolgens passeren maanden zonder bericht. Als Zegers een vervangend exemplaar vraagt, is dat niet mogelijk. En dan is het volgens Asus 'wachten op onderdelen'.
Na drieënhalve maand informeert Zegers waarom hij zijn laptop nog steeds niet terug heeft, maar de fabrikant antwoordt niet eens meer. Is de laptop vanuit het reparatiecentrum in Tsjechië soms aan het zwerven geslagen? Tijd voor de roeptoeter van Stekeligheden.
Pijlsnel komt dan de reactie van Asus: de laptop is onderweg. Eenmaal uitgepakt blijkt hij wel te werken, maar lekker hanteerbaar is hij niet vanwege de plakkerige lijmresten. De fabrikant biedt een nieuwe aan als compensatie voor alle ongemak.
Stekeligheden, Consumentengids mei 2014

05 IN DE FINANCIËLE WERELD

We hebben met heel veel financiële instellingen te maken: banken, pensioenfondsen, tussenpersonen enzovoort. Dit hoofdstuk gaat in op uw rechten en geeft aandachtspunten om problemen te voorkomen.

GELDAUTOMAAT
GAAT U VOORAL DOOR...
IK HOU TOEZICHT.
DNB

We bespreken hier de belangrijkste wetten en regels met betrekking tot de financiële wereld. Ook geven we inzicht in de instanties, organisaties en financiële producten waar u mee te maken kunt krijgen.
Verzekeringen laten we hier buiten beschouwing, omdat in het najaar van 2014 het boek *Goed verzekerd* verschijnt, waarin ook veel informatie over de juridische kant van verzekeringen staat.

5.1 Financiële regelgeving

Er bestaan grofweg drie soorten regelgeving op de financiële markten:
- Gedragsregels schrijven voor hoe financiële instellingen met hun klanten om moeten gaan.
- Soliditeits- of prudentiële regels moeten voorkomen dat financiële instellingen hun geldelijke verplichtingen niet na kunnen komen (insolventie).
- Overige regels over onder andere de betrouwbaarheid van bestuurders van financiële instellingen.

Gedragsregels vormen de grootste groep. Hierbij is transparantie het uitgangspunt. Consumenten moeten voldoende informatie krijgen over de kenmerken van financiële producten en diensten, anders kunnen ze niet bewust en verantwoord kiezen (zie par. 5.3a).
Tot de gedragsregels behoren ook de voorwaarden voor integere omgangsvormen op de financiële markten, waaronder de zorgplicht van aanbieders en bemiddelaars. Zij horen zorgvuldig met de belangen van een klant om te gaan en moeten hem onder meer behoeden voor verkeerde beslissingen. Ook moet een financieel dienstverlener klachten van consumenten adequaat behandelen. In dat verband wordt van hem verwacht dat hij is aangesloten bij een door de minister van Financiën erkende buitengerechtelijke geschilleninstantie.

5.1a Wet financieel toezicht

Een hoofdrol is weggelegd voor de Wet financieel toezicht (WFT). Deze bundelt bijna alle regels en voorschriften voor de financiële markten en – heel belangrijk – het toezicht daarop.
De financiële sector staat onder toezicht van twee instellingen: De Nederlandsche Bank (DNB; zie Adressen) en de Autoriteit Financiële Markten

(AFM; zie Adressen). De WFT brengt een heldere scheiding aan tussen de taken van DNB en van de AFM. DNB is belast met het prudentieel toezicht, de AFM met het gedragstoezicht.

DNB

DNB controleert of financiële ondernemingen zelf financieel gezond zijn en of ze aan hun financiële verplichtingen kunnen voldoen. Ze houdt toezicht op:

- banken en andere kredietinstellingen;
- pensioenfondsen;
- verzekeraars;
- overige instellingen, waaronder beleggingsinstellingen en geldtransactiekantoren.

Niet iedereen mag zomaar financiële diensten aanbieden. Daarvoor is een vergunning van DNB vereist. Die wordt alleen verleend als de instelling aan bepaalde eisen voldoet:

- deskundigheid en betrouwbaarheid van de bestuurders;
- financiële waarborgen;
- goede bedrijfsvoering;
- informatieverschaffing aan de deelnemers en het publiek.

Alle instellingen met een vergunning zijn opgenomen in de registers van DNB, die op de website te vinden zijn (www.dnb.nl). DNB kan sancties opleggen aan instellingen die zich niet aan de regels houden. In het ergste geval trekt DNB de vergunning in.
Het toezicht van DNB is geen garantie dat een bank nooit failliet kan gaan; het maakt het risico erop wel kleiner.

AFM

De AFM is de gedragstoezichthouder voor de gehele financiële marktsector, met uitzondering van zorgverzekeraars (die vallen onder het toezicht van de Nederlandse Zorgautoriteit). De AFM let erop dat financiële ondernemingen hun klanten goede informatie geven over hun producten en dat ze zich houden aan de afspraken die zij met klanten hebben gemaakt. Financiële instellingen hebben voor sommige diensten en producten, zoals effecten, beleggingen of leningen, een vergunning van de AFM

nodig. Zonder vergunning mogen zij deze producten niet verkopen. Als een instelling zich niet aan de regels houdt, kan ze van de AFM een waarschuwing krijgen. De AFM kan ook boetes en lasten onder dwangsom opleggen, informatie publiceren (met inachtneming van de geheimhoudingsplicht) en in het uiterste geval de vergunning van de dienstverlener intrekken. Op www.afm.nl kunnen consumenten controleren of de aanbieder met wie ze in zee willen gaan een vergunning van de AFM heeft. Ook kunt u daar zien of de dienstverlener weleens een waarschuwing heeft gehad.
Verder kunt u bij de AFM terecht met vragen over financiële producten en kunt u er klachten over financiële diensten melden. De AFM kan niet vertellen welke aanbieder het best is of tussen u en de aanbieder bemiddelen, maar ze kan wel aangeven wat uw rechten zijn en u doorverwijzen naar een instantie die u kan helpen met uw individuele probleem, bijvoorbeeld het Klachteninstituut Financiële Dienstverlening (Kifid, zie par. 5.1b).

5.1b Geschilleninstanties

Zoals altijd bij een geschil, moet u uw klacht eerst bij de financiële instelling of dienstverlener zelf indienen. Als dat niets oplevert, zijn er verschillende geschilleninstanties waar u naartoe kunt gaan.
Voor klachten over een registratie bij het Bureau Krediet Registratie (BKR) is er de Geschillencommissie BKR (zie Adressen). Bij de Stichting Klachten en Geschillen Zorgverzekeringen (SKGZ; zie Adressen) kunt u klachten over zorgverzekeraars indienen. Met klachten over reglementen van pensioenfondsen kunt u naar de Ombudsman Pensioenen (zie par. 5.9d).

Kifid

Banken, verzekeraars, pensioenfondsen, intermediairs en andere financieel dienstverleners zijn wettelijk verplicht zich aan te sluiten bij het Kifid (www.kifid.nl), het centrale klachteninstituut. Het Kifid is onafhankelijk, laagdrempelig, snel en betaalbaar.
Meld uw klacht hier schriftelijk binnen drie maanden. Dat kan door een brief te sturen of door het klachtenformulier op de website van het Kifid in te vullen. Stuur ook een kopie van uw klacht naar het meldpunt van toezichthouder AFM. Uw ervaring is namelijk belangrijk om goed toezicht te kunnen houden.

Bij het Kifid vindt eerst bemiddeling plaats via de Financiële Ombudsman. Als hij uw klacht gegrond acht, zal hij bij de dienstverlener voor uw belangen opkomen, maar zijn bemiddelingsvoorstel is niet bindend. Het inschakelen van de Ombudsman Financiële Dienstverlening is gratis.
Als de bemiddeling geen resultaat heeft, kunt u naar de geschillencommissie van het Kifid stappen. Dat moet gebeuren binnen drie maanden na het voorleggen van uw klacht aan het Kifid. Een voorwaarde voor behandeling van uw klacht is dat het belang minimaal €150 moet zijn. Een behandeling door de geschillencommissie kost €50 als de Ombudsman de klacht (deels) gegrond heeft bevonden en €100 als de Ombudsman de klacht ongegrond heeft bevonden.
De geschillencommissie doet een bindende uitspraak voor beide partijen. In het register op www.kifid.nl vindt u een overzicht van de aangesloten financieel dienstverleners waarover de geschillencommissie een bindende uitspraak kan doen.
Beide partijen (u en de financieel dienstverlener) kunnen in beroep gaan tegen de uitspraak van de geschillencommissie. Het geschil moet dan binnen zes weken na de uitspraak worden voorgelegd aan de Commissie van Beroep. Hiervoor geldt wel een hoge financiële drempel: het moet gaan om meer dan €25.000 of het belang voor de betrokken bedrijfstak moet minstens €5 miljoen bedragen. Bovendien kost behandeling van de klacht door deze commissie €500.

Niet eerst naar de rechter

De Financiële Ombudsman en geschillencommissie nemen geen klachten in behandeling die ook aan een rechter of een andere geschilleninstantie zijn voorgelegd.

Buitenlandse dienstverleners

Ook als u er met een buitenlandse financieel dienstverlener niet uitkomt, kunt u een klacht indienen bij de Financiële Ombudsman van het Kifid. Hij neemt contact op met de ombudsman in het land van de betrokken dienstverlener om uw klacht daar te laten behandelen. Het moet wel gaan om een dienstverlener in een land dat is aangesloten bij de Europese Economische Ruimte (EER). Financiële ombudsmannen van die landen hebben zich verenigd in het *Financial Dispute Resolution Network*.

U kunt uw klacht ook rechtstreeks bij de financiële ombudsman uit het land van de betrokken dienstverlener indienen.

Eerlijke handel

De Wet oneerlijke handelspraktijken (Wet OHP) verbiedt aanbieders van producten en diensten misleidende en agressieve verkooppraktijken toe te passen. Daaronder wordt bijvoorbeeld verstaan: het geven van onjuiste of onvolledige informatie en het uitoefenen van te veel druk op een potentiële klant. Veel praktijken die in de Wet OHP staan, zijn ook verboden op grond van de WFT. Maar als de WFT niet van toepassing is, kan de AFM op basis van de Wet OHP alsnog ingrijpen.
De toezichthouders van de Wet OHP zijn de AFM en de ACM. De AFM bekijkt financiële producten, de ACM alle andere producten. Als u vindt dat u misleid of agressief benaderd bent door een financiële partij, meld dit dan aan de AFM.

5.1c Klagen in de praktijk

Eerst contact
Leg uw klacht altijd eerst voor aan de financiële instelling of dienstverlener. Doe dit zo snel mogelijk. Leg duidelijk uit waarover u ontevreden bent. Wat waren uw verwachtingen en wat valt er tegen? Blijf vooral vriendelijk. Dreigen, beledigen of boos worden, werkt bijna altijd averechts.
Het eerste contact met de dienstverlener kan zowel mondeling als per brief of e-mail verlopen. Een telefoontje of een gesprek op kantoor kan snel resultaat opleveren, maar soms is een officiële brief effectiever. Het voordeel van schrijven is dat u meteen begint met het opbouwen van een dossier.
Financiële instellingen zijn wettelijk verplicht een interne klachtenprocedure te hebben. Daarin staat wat u moet doen als u een klacht heeft en dat de onderneming uw klacht binnen een redelijke termijn zorgvuldig moet behandelen. U vindt deze informatie in de algemene voorwaarden of in de overeenkomst van het financiële product. Soms staat de klachtenprocedure ook op de website. Bekijk deze informatie voordat u tot actie overgaat.

Mondeling. Kiest u voor een gesprek, stel u dan neutraal en zakelijk op. Wellicht komt de financiële instelling zelf met een goede oplossing. Zo niet, kom dan zelf met een concreet voorstel of stel een open vraag: 'Wat zou u voor mij kunnen doen?'
Heeft u de naam van de persoon van wie u het product gekocht heeft? Vraag dan een gesprek met diegene aan. Heeft u die niet en moet u naar een algemeen nummer bellen, vraag dan naar de naam van de medewerker die u aan de lijn krijgt. Het zal de bereidheid u van dienst te zijn vergroten.
Krijgt u de indruk dat de medewerker de klacht niet in behandeling kan nemen? Vraag dan of u iemand kunt spreken die dat wel kan. Soms is er een speciaal team dat zich bezighoudt met klachten. Vraag in het uiterste geval om doorverbonden te worden met de leidinggevende.
Maak altijd aantekeningen. Schrijf op wanneer u gebeld heeft, wie u gesproken heeft en wat er is afgesproken. Deze aantekeningen kunnen later van pas komen, mocht de afhandeling van de klacht een slepende kwestie worden.
Vraag altijd om een schriftelijke reactie naar aanleiding van uw klacht. Vraag degene met wie u gesproken heeft naar zijn e-mailadres, mail hem en vraag in die mail om een reactie. Zo voorkomt u dat u onverwacht gebeld wordt en onvoorbereid een gesprek aangaat. Ook voor de dossiervorming is een schriftelijke reactie gewenst.

Schriftelijk. Stuur een klachtenbrief niet naar het eerste het beste adres dat u tegenkomt. Informeer eerst telefonisch of zoek op de website naar de afdeling die belast is met klachtafhandelingen. Omschrijf in uw brief aan de onderneming kort en helder wat de klacht is en wat u verwacht. U kunt het best een aangetekende brief versturen. Is het financiële belang groot of twijfelt u of de dienstverlener de brief wil ontvangen? Verstuur de aangetekende brief dan met ontvangstbevestiging. Stuur in geen geval originele bewijzen mee, maar altijd kopieën.
Wilt u uw klacht liever online versturen? Verstuur hem dan bij voorkeur niet via een onlinecontactformulier. U krijgt daarvan meestal geen bevestiging van ontvangst of elektronisch afschrift. Een zelf verstuurde e-mail is nadien wel terug te lezen. Bovendien kunt u een cc toevoegen die is gericht aan de Consumentenbond of een andere partij die de alarmbellen doet rinkelen bij de ontvanger.

Maak kopieën van alle correspondentie, zodat u al in een vroeg stadium begint met het aanleggen van een dossier. Als u denkt dat de onderneming regels heeft overtreden, kunt u een kopie naar het AFM sturen. Die kan niet bemiddelen, maar wel nagaan of de onderneming zich aan de regels heeft gehouden. Indien gewenst kunt u uw brief anoniem versturen.

Win juridisch advies in

Wie onzeker is over zijn rechten en plichten, kan als lid terecht voor een persoonlijk advies bij de Consumentenbond (via (070) 445 45 45, ma t/m do 8.00-20.00, vr 8.00-17.30). U kunt bij verschillende instanties terecht voor advies, zie par. 1.4a.

Tips voor een klachtenbrief

- Volg de klachtenprocedure van de onderneming. Let op eventuele termijnen waarbinnen u de klacht moet indienen.
- Draai niet om de zaak heen. Geef in de eerste zin al aan waarover de klacht gaat. Omschrijf vervolgens concreet de inhoud van uw klacht. Vergeet niet te vermelden wat u verlangt van de tegenpartij: doe een voorstel.
- Houd het zakelijk en concreet. Laat de emoties in uw brief niet de overhand krijgen. Houd de zinnen kort.
- Vraag om een schriftelijke reactie binnen een redelijke termijn; twee weken is gebruikelijk.
- Voorzie de brief van een datum en van uw contactgegevens, zoals adres, telefoonnummer(s) en e-mailadres.
- Stuur kopieën van belangrijke stukken, bijvoorbeeld de offerte of overeenkomst, als bijlage mee met uw brief. Bewaar de originele papieren thuis.
- Maak een kopie van de brief voor uw eigen administratie.
- Heeft u hulp nodig bij het schrijven van een klachtenbrief? Op www.consumentenbond.nl/juridischadvies/voorbeeldbrieven vindt u voorbeeldbrieven voor uiteenlopende problemen.

Stel de aanbieder in gebreke

Bent u er in eerste instantie niet uitgekomen met de dienstverlener? Stel hem dan per brief in gebreke vanwege niet nagekomen afspraken.

Leg uit wat u gedacht had te zullen krijgen, maar niet kreeg en geef aan welke oplossing u binnen welke termijn verwacht. De dienstverlener moet binnen twee tot drie weken op zijn minst begonnen zijn met het verhelpen van de klacht. Geef ook aan welke vervolgstappen u gaat nemen als de klacht niet wordt opgelost, bijvoorbeeld het inschakelen van De Geschillencommissie. Ten slotte geeft u aan dat u de ontstane schade op hem zult verhalen als hij zijn afspraken niet nakomt binnen de aangegeven termijn.
Voor de eventuele schade, bijvoorbeeld vanwege een lijfrente die allang uitgekeerd had moeten worden, kunt u ook nog 'wettelijke rente' in rekening brengen. Voor consumenten bedraagt die sinds 1 juli 2012 3% op jaarbasis.

Gebruik juridische termen
Het kan soms handig zijn hier en daar een juridische term te laten vallen in een telefoongesprek of brief. Maar als dit dreigend overkomt en daardoor de verhouding wordt verstoord, kan het ook tegen u werken. In een eerste gesprek kunt u daarom beter niet al te gretig strooien met dit soort termen. Gebruik in elk geval geen termen die u zelf niet begrijpt. U mag bijvoorbeeld financieel dienstverleners aanspreken op hun zorgplicht (zie par. 5.3a), maar schrijf niet zomaar dat de bank haar zorgplicht niet is nagekomen. Dit is voor de gemiddelde consument moeilijk zelf te bepalen.

Zoek het hogerop
Heeft u binnen een redelijke termijn geen reactie ontvangen op uw klacht of is de klacht niet naar tevredenheid afgehandeld? Dan kunt u de klacht voorleggen aan een geschillencommissie of klachteninstituut. In figuur 1 vindt u een overzicht van instanties waar u met uw klacht terechtkunt.

Niet-bindend

Een financiële onderneming kan zich 'bindend' of 'niet bindend' inschrijven bij het Kifid. Als een onderneming zich 'niet bindend' heeft ingeschreven, kan het zijn dat de onderneming een uitspraak van de Commissie van het Kifid niet opvolgt. U moet dan alsnog naar de rechter (zie par. 1.4c) als u in het gelijk wilt worden gesteld.

Figuur 1 **Bij welk klachtenloket kun je terecht?**

5.2 Bankieren

Banken bieden naast betaalrekeningen allerlei andere financiële diensten aan: leningen (par. 5.5), spaarproducten (par. 5.4), hypotheken (par. 5.6) en beleggingsrekeningen (par. 5.7). In de betreffende paragrafen leest u wat uw rechten op die gebieden zijn.

In deze paragraaf vertellen we waar u op moet letten als u een bank kiest en hoe het met het toezicht en de vergunningen staat. Daarna gaan we in op de regels voor onder meer incasso's en geven we voorbeelden van situaties waarbij banken in de fout kunnen gaan.

Te oud voor limiet

De 84-jarige Jan Uleman heeft een Visa Card van Laser Cards. Begin dit jaar wil hij de limiet op zijn creditcard verhogen van €2500 naar €5000. Tot zijn verbazing wijst de maatschappij zijn verzoek af en somt hiervoor in de brief zes drogredenen op, zoals een BKR-registratie en 'vanwege uw en uw partners persoonlijke situatie'.
Als Uleman telefonisch navraag doet, hoort hij de werkelijke reden voor de afwijzing: zijn leeftijd. Laser Cards verklaart ouderen te willen 'beschermen'; ze wil voorkomen dat zij schulden hebben. Om die reden moeten 65-plussers maandelijks aflossen en geldt vanaf 75 jaar een maximumlimiet van €2500. Uleman voelt zich gediscrimineerd. Ook vindt hij het kwalijk dat de maatschappij vooraf niet de 'afbouwregeling' voor senioren meldt.
Laser Cards: 'Het is technisch niet mogelijk een specifieke reden mee te geven in de brief. In onze algemene voorwaarden staat dat wij het maandbedrag en de kredietlimiet mogen aanpassen.'
Leergeld, Geldgids april/mei 2014

Verhuisd

Hedzer Veenstra uit Groningen krijgt al acht jaar post van ING, bestemd voor de vorige bewoners van zijn huis. Hij stuurt die post terug, met de aantekening dat de geadresseerde er niet meer woont, hij belt ettelijke malen, blijft vriendelijk, wordt boos... maar de post van ING blijft komen. Stekeligheden vraagt na bij ING waarom ze post blijven sturen en krijgt een cryptische uitleg: 'Het misverstand ontstond doordat niet voldoende duidelijk was of de wijziging zowel het woon- als correspondentieadres betrof.' Huh? Ook Veenstra begrijpt er niets van. Desgevraagd licht ING toe: 'Er is sprake van verschillende cliëntnummers en rekeningen, helaas was de adreswijziging dus niet overal juist verwerkt, dat gebeurt nu wel.' Tja... als ING het zelf maar snapt.
Stekeligheden, Consumentengids januari 2014

5.2a Aandachtspunten bij de keuze van een bank

U staat er misschien niet bij stil, maar het is verstandig een aantal punten na te lopen voordat u met een bank in zee gaat. Wat zijn de voorwaarden die een bank stelt aan een product of dienst? En, niet onbelangrijk, heeft de bank wel een vergunning?

> **Tip**
>
> **Kijk naar het beleid**
>
> **Er zijn banken die een duidelijk ander beleid voeren dan andere banken. Dat kan een overweging zijn juist voor zo'n bank te kiezen. Ook de Bankenmonitor van de Consumentenbond over tevredenheid kan meetellen in uw beslissing (alleen beschikbaar voor leden).**

Voorwaarden

Banken zijn vrij om te bepalen welke diensten zij onder welke voorwaarden aanbieden. Informeer hiernaar en lees de voorwaarden zorgvuldig voordat u een overeenkomst aangaat.

Er zijn verschillende voorwaarden:

- In de algemene bankvoorwaarden staan de algemene rechten en plichten van de bank en de rekeninghouder vermeld ten aanzien van bancaire producten. Deze verschillen per bank.
- De productvoorwaarden gelden specifiek voor een product of een dienst van een bank. Zo zijn er voorwaarden voor internetbankieren, hypothecair krediet of effectendiensten. Ook de meeste productvoorwaarden verschillen per bank.

Bij ingewikkelde financiële producten, zoals een beleggingsverzekering, staan de eigenschappen van een product omschreven in de Financiële Bijsluiter. U leest hier meer over in par. 5.7b.

Vergunningen en registers

Alle banken die diensten in Nederland aanbieden, moeten daarvoor een vergunning hebben van DNB. Zij worden dan opgenomen in het Register van de WFT. Voor sommige diensten en producten, zoals beleggingen en leningen, hebben banken een vergunning van de AFM nodig. Ook die banken worden opgenomen in het Register WFT. Controleer voordat u een rekening opent of de bank een vergunning heeft. Ga naar www.afm.nl/consumenten en klik op 'Controleer jouw aanbieder' (zie par. 5.1a voor meer informatie over DNB en de AFM).

Ook buitenlandse banken moeten een vergunning hebben. Banken uit andere EU-landen mogen op grond van hun vergunning in eigen land financiële diensten in Nederland aanbieden. Zij vallen niet onder het toezicht van DNB, maar onder de toezichthouder in het land van vestiging. Dit kan doordat het toezicht in Europa in grote lijnen gelijk is. Deze banken moeten zich wel melden bij DNB en zijn ook opgenomen in het Register WFT.

Beschermingsregelingen

Of u nu een groot of een klein bedrag bij de bank stalt, het blijft een kwestie van vertrouwen. Om dat vertrouwen te vergroten, zijn er garantieregelingen in het leven geroepen. Er zijn drie soorten regelingen:

1. Depositogarantiestelsel: beschermt geld op een betaal- en spaarrekening, zie par. 5.4b.
2. Beleggerscompensatiestelsel: ter bescherming van beleggingen, zie par. 5.7b.
3. Vermogensscheiding: zorgt ervoor dat uw geld bij het faillissement van een beleggingsonderneming gescheiden is van dat van de onderneming.

DNB is verantwoordelijk voor de uitvoering van deze beschermingsregelingen. De AFM controleert of beleggingsondernemingen zich aan de regels voor vermogensscheiding houden.

Tip

Pas kwijt of gestolen?

Meld verlies of diefstal van uw betaalpas, creditcard of chipknip onmiddellijk bij uw bank. Uw betaalpas en/of creditcard wordt dan direct geblokkeerd, zodat anderen er geen misbruik van kunnen maken. Verlies van uw betaalpas kunt u melden bij de Bankpassen Meldcentrale (binnenland: 0800 – 0313; buitenland: +31 (0) 883 85 53 72). Als u hier doorgeeft dat u uw pas kwijt bent en deze wilt laten blokkeren, is dat in principe voldoende.
Klanten van ABN Amro, ING en Rabobank kunnen het verlies tijdens kantooruren ook bij hun eigen bank melden. Het telefoonnummer waarop uw bank te bereiken is, staat op de website van de bank. Daar staan ook de nummers voor contact vanuit het buitenland. Ook veel creditcardbedrijven hebben zo'n noodnummer. Noteer het en neem het mee als u op vakantie gaat.

p

Cheque?

Wilt u een betaling per cheque accepteren? Vraag uw bank dan de cheque niet onder gewoon voorbehoud af te rekenen, maar ter incasso te nemen. Uw bank controleert dan of de cheque geldig en gedekt is en boekt het bedrag pas daarna op uw rekening. Dit duurt wel wat langer, maar beperkt uw financiële risico. Overigens is het bij laten schrijven van een cheque over het algemeen duurder dan een gewone bijschrijving.
Ook bij een ter incasso genomen cheque kan achteraf alsnog blijken dat hij vervalst was. Dan zal de bank het geld bij u terugvorderen. Doe altijd aangifte als u hiermee te maken krijgt.

5.2b Europees betalen

De betaalwijzen worden binnen de Eurolanden steeds meer gelijkgetrokken. Zo kunnen we sinds 2012 ook buitenlandse bedrijven machtigen en worden nationale rekeningnummers vervangen door Europese rekeningnummers: IBAN's.
Banken informeerden hun klanten al in februari 2014 dat ze alleen nog maar IBAN-nummers konden gebruiken, maar daar is op het laatste moment verandering in gekomen. De Europese Commissie stelde een overgangsperiode van zes maanden in. Tot 1 augustus 2014 konden nog oude rekeningnummers gebruikt worden. Sindsdien moet iedereen over op IBAN.

Nepmails

Pas op voor valse e-mails over IBAN. Criminelen grijpen het onderwerp aan om er nepmails (*phishing*, zie par. 5.2c) over te sturen. Daarin wordt uit naam van de bank of een andere organisatie naar inlog- en andere bankgegevens gevraagd. Deze berichten kunnen verraderlijk echt lijken, maar een bank zal nooit om inloggegevens vragen. Voor wie zo'n mail ontvangt luidt het advies: direct verwijderen, open geen links of bijlagen en informeer uw bank.

Wat is mijn IBAN?

Een IBAN bestaat uit 18 tekens: een landcode (NL), controlegetal, bankcode (bijvoorbeeld INGB) en het huidige rekeningnummer aangevuld met nullen. U vindt uw IBAN op uw bankpas, bankafschrift en bij internetbankieren. U kunt uw IBAN en dat van een ander ook vinden op www.ibanbicservice.nl, een initiatief van de Nederlandse Vereniging van Banken. U kunt het nummer ook telefonisch aanvragen via 0900 – 422 62 42 of via een sms (stuur het korte rekeningnummer naar 4226). Deze service stopt op 1 april 2015.

Tip

Automatisch

Nummers die in uw adresboek voor internetbankieren staan, worden automatisch omgezet. Zet er dus zo veel mogelijk nummers in, om te voorkomen dat u zelf het IBAN moet achterhalen.

Acceptgiro en incasso

Ook op overschrijvingskaarten en acceptgiro's moet voortaan het lange IBAN staan.

Acceptgiro's zijn duur voor banken en er maken steeds minder mensen gebruik van; veel mensen typen de acceptgiro over in internetbankieren. Banken willen er dus liefst vanaf. De IBAN-acceptgiro blijft – mede

dankzij inspanningen van de Consumentenbond – tot uiterlijk 1 januari 2019 bestaan. Daarna zal hij onherroepelijk verdwijnen.
Sinds augustus 2014 heeft de Nederlandse incasso plaatsgemaakt voor een Europese. Hiermee kunnen bedrijven uit alle Europese landen gemachtigd worden om afschrijvingen te doen. Doorlopende incasso's die u op die datum al had, bijvoorbeeld voor elektriciteit en hypotheek, worden automatisch omgezet in machtigingen voor Europese incasso's. Alleen bij nieuw afgegeven machtigingen wordt er om een IBAN gevraagd.
Voor particulieren waren er in Nederland altijd drie soorten incasso's:
1. de doorlopende machtiging (bijvoorbeeld voor huur);
2. de eenmalige incasso's (bijvoorbeeld voor onlineaankopen);
3. de doorlopende incasso's kansspelen.

Een incasso storneren (terugboeken), kon alleen bij de doorlopende machtiging. Bij de Europese incasso geldt het terugboekingsrecht ook voor eenmalige incasso's. Er is helaas een uitzondering gemaakt voor de Nederlandse kansspelbedrijven, zoals loterijen. Het gevolg van een stevige lobby van die sector: niet-storneerbare incasso's voor kansspelen blijven in ieder geval de komende twee jaar bestaan.
Storneren mag, zonder opgaaf van reden, binnen acht weken. Een onterechte incasso kan zelfs tot 13 maanden na de incassodatum teruggedraaid worden via een Melding Onterechte Incasso. Let op: als er een betalingsverplichting is, blijft die natuurlijk wel bestaan.
Ook nieuw aan de Europese incasso is dat de bank u enkele dagen voordat er een nieuwe doorlopende of eenmalige incasso plaatsvindt, hierover informeert. U kunt de incasso dan zonder opgaaf van reden weigeren. Dit kan bij bijna alle banken via internetbankieren. Handig als het bijvoorbeeld om een onterecht bedrag gaat. Zo'n alert heeft nog een voordeel: u kunt tijdig voor voldoende saldo op de rekening zorgen.
Voor Europese incasso's zijn alleen schriftelijke machtigingen geldig. Voor onlinemachtigingen wordt nog een oplossing gezocht. In 2015 moet er een *e-mandate* zijn: een elektronische manier om een toestemming tot incasso af te geven. In Nederland wordt gedacht aan autorisatie via internetbankieren.
Bedrijven zijn bij een Europese incasso sinds augustus 2014 verplicht 14 dagen van tevoren aan te kondigen dat ze gaan incasseren, de prenotificatie. Tenzij anders is afgesproken (zoals in de algemene voorwaarden)

moet dus bijvoorbeeld het energiebedrijf u op de hoogte stellen wanneer het gaat innen. Dit hoeft maar eenmalig: aan het begin van het contract laat het energiebedrijf weten dat het het termijnbedrag gedurende het contract elke maand op de 27e zal innen. Het hoeft u niet bij elke incasso te waarschuwen.

Incassoprobleem

Al drie maanden wordt Frank Broekhuijse uit Valkenswaard door creditcardmaatschappij Laser Visa als wanbetaler aangemerkt. Ondanks het feit dat hij keurig een automatische incasso heeft geregeld, krijgt hij elke maand een aanmaning.
En telkens moet hij per direct via bankoverschrijving betalen, inclusief €10 rente. Broekhuijse belt zich suf en krijgt de ene toezegging na de andere, maar zonder resultaat. 'Help!', schrijft hij Stekeligheden. Dan lijkt Laser Visa wakker te worden.
'Door een terugkerend technisch probleem werd de maandelijkse automatische incasso niet uitgevoerd.' Ja, dat is voor Broekhuijse niets nieuws. Maar dan het goede bericht: 'Wij hebben de oorzaak van het probleem achterhaald en verholpen.' Laser Visa belooft extra controles, stort de €30 rente terug en stuurt zelfs een bos bloemen.
Stekeligheden, Consumentengids februari 2014

Nogal (hand)matig

'Vanwege saldotekort is de automatische incasso voor uw verzekeringspremie mislukt', meldt Nationale-Nederlanden aan Bas Engelhard uit Waddinxveen. Hij heeft wél voldoende saldo, maar maakt de premie toch handmatig over. Maar ook de volgende incasso's mislukken, ondanks voldoende saldo en contact met de klantenservice. Met een excuusbrief lijkt alles opgelost, maar al de volgende dag is er wéér een aanmaning. Nieuwe poging: Nationale-Nederlanden zal de polis 'handmatig' stopzetten en de incasso 'handmatig' innen. Dat probeert het bedrijf drie keer; tevergeefs. Om te voorkomen dat Engelhard zelf handmatig ingrijpt, neemt Stekeligheden het over. Onze missie blijkt geslaagd als hij geen aanmaning, maar bloemen en €15 vergoeding voor zijn telefoonkosten krijgt.
Stekeligheden, Consumentengids maart 2014

Oude bekende?

Als u nog geen relatie heeft met het bedrijf dat de automatische incasso wil doen, is een telefonische machtiging alleen toegestaan als u het initiatief neemt. U moet dus zelf met het bedrijf bellen. Heeft u wel al een relatie, dan mag het bedrijf ook het initiatief nemen.

5.2c Cybercrime?

Iedereen kan slachtoffer worden van *cybercrime* en identiteitsfraude. De gevolgen zijn vaak dramatisch en het duurt soms jaren voordat je ervanaf bent.

Schade door cybercrime wordt door de bank vergoed als u zorgvuldig heeft gehandeld. Tot voor kort gaven banken niet duidelijk aan wat hun criteria voor 'zorgvuldig handelen' waren. Mede dankzij inzet van de Consumentenbond gelden sinds 1 januari 2014 vijf uniforme regels voor veilig betalen, internetbankieren en mobiel bankieren:

1. Houd uw beveiligingscodes geheim.
2. Zorg ervoor dat uw bankpas nooit door een ander gebruikt wordt.
3. Zorg voor een goede beveiliging van de apparatuur die u gebruikt voor uw bankzaken.
4. Controleer uw bankrekening eens per twee weken.
5. Meld incidenten direct aan de bank en volg diens aanwijzingen op.

Bankklanten die zich aan deze vijf veiligheidsregels houden, lopen geen risico meer op te draaien voor schade bij fraude. Ook belangrijk: wie zich niet aan alle regels houdt, is niet per definitie grof nalatig. Helaas houden banken zich zelf niet altijd even goed aan de regels, zie par. 5.2e.

De invoering van deze regels is een hele verbetering, want voor de komst ervan was iedereen die zich niet aan de (brij van) voorwaarden en voorschriften hield, grof nalatig. Als iemand zich niet aan alle regels heeft gehouden, zal de bank naar de omstandigheden kijken en per individueel geval bepalen of er sprake is van grove nalatigheid.

Als u uw bankrekening niet kunt checken, bijvoorbeeld vanwege vakantie, moet u dit kunnen aantonen om in aanmerking te komen voor een schadevergoeding bij fraude. De nieuwe regeling wordt begin 2015 geëvalueerd. Bij de evaluatie zal de Consumentenbond ook aandacht besteden aan de manier waarop banken omgaan met fraudegevallen.

Tip

Vreemde transacties?

Als u merkt dat er transacties worden afgeboekt die u niet heeft gedaan, ga dan direct naar uw bank. De bank blokkeert uw pas onmiddellijk en vraagt een nieuwe voor u aan. Als uit onderzoek blijkt dat uw pasgegevens gekopieerd en misbruikt zijn, wordt de schade doorgaans zo spoedig mogelijk vergoed.

Toch slachtoffer van bankfraude?

Laat u niet te snel beschuldigen van grof nalatig gedrag. Beschrijf hoe u de veiligheidsvoorschriften heeft nageleefd of maak aannemelijk waarom u zich niet aan de veiligheidsvoorschriften heeft kunnen houden. Komt u er niet uit, dien dan schriftelijk een klacht in bij uw bank (zie par. 5.1c). Stap bij een afgewezen klacht naar het Kifid of de rechter.

Skimmen

Bij skimmen worden betaalgegevens van uw bankpas of creditcard gekopieerd bij een betaling in de winkel of geldopname bij een automaat. Sinds we in Europa via de chip op de bankpas betalen, is skimmen een stuk lastiger geworden. Maar criminelen kunnen uw gegevens wel doorsturen naar iemand buiten Europa, waar nog wel met de magneetstrip betaald wordt. Veel banken blokkeren bankpassen daarom voor gebruik buiten Europa. Vergeet uw pas niet 'aan' te zetten als u buiten Europa op vakantie gaat. Schade door skimmen wordt door banken vrijwel altijd vergoed.

Pinpasfraude voorkomen

Criminelen gebruiken verschillende methoden om achter uw gegevens te komen:

- **camera – deze kan in de lichtbak of in een folderbakje geplaatst zijn;**
- **toetsenlogger – een neptoetsenbord met chip dat de toetsaanslagen registreert, kan over de toetsen van de automaat geplaatst zijn;**
- **invoermondje – over of voor de pasinvoer kan een voorzetstuk geplaatst zijn om de magneetstrip te kopiëren;**
- **afkijken – de pincode wordt tijdens het invoeren afgekeken.**

ip

Veilig pinnen doe je zo:

- Houd uw pincode strikt geheim en exclusief voor de betaalpas.
- Berg uw pas goed op in een afgesloten gedeelte van uw jas of tas.
- Ziet de pinautomaat er vreemd uit? Gebruik hem dan niet.
- Dek met uw hand uw pincode af en laat u niet afleiden. Meelezers maken zo geen kans.
- Houd uw afschrijvingen in de gaten.
- Stel indien mogelijk een opname- en kredietlimiet in. Hoe meer u rood kunt staan, hoe groter de schade kan zijn.
- Meld onterechte afschrijvingen zo snel mogelijk bij de bank.
- Volg de aangegeven procedure van de bank en doe zo nodig aangifte bij de politie.

Phishing

Criminelen gebruiken nepinlogpagina's en nepmails van banken om inloginformatie te achterhalen. Dit noemen we *phishing*. Banken zijn van mening dat het de verantwoordelijkheid van de klant is de echtheid van inlogpagina's en e-mails te bepalen. Is dat redelijk?
Uit een test van de Consumentenbond bleek dat het heel lastig is valse inlogpagina's en nepmails van echte te onderscheiden. En dat terwijl de proefpersonen wisten dat hun account bestookt zou worden door goedbedoelende hackers (*Digitaalgids* mei 2014). Zie 'hackers' hierna.
Uiteindelijk beslist de bank of zij overgaat tot een vergoeding of niet. De meestvoorkomende reden waarom banken de schade van onlinefraude niet vergoeden, is dat ze vinden dat klanten meer hadden kunnen doen om de schade te beperken. Soms vergoedt een bank de schade, naar eigen zeggen, 'uit coulance' en niet omdat het een recht zou zijn. Bij creditcardfraude en skimmen wordt de schade vaak wel vergoed. Het vergoedingsbeleid is dus, ondanks de uniforme regels, betrekkelijk willekeurig.

Hackers

Hoe makkelijk zijn wij te hacken? Drie vrijwilligers van de Consumentenbond durfden de uitdaging aan zich te laten hacken. De resultaten waren verbijsterend. Twee 'hackers' van Onvio (een bedrijf dat de veiligheid van websites test) hebben twee weken geprobeerd de accounts van de drie vrijwilligers te hacken.

Niemand merkte iets, maar toch zijn twee van hen flink te grazen genomen: creditcardgegevens, scans van paspoorten, DigiD-inlogcodes, salarisstroken, PayPal-accounts; de hackers hebben het allemaal in handen gekregen. Hoe de hackers dat precies aanpakten, leest u in de *Digitaalgids* van mei 2014.

Tip

Hoe kunt u het risico op hacken en phishing verkleinen?

1. *Tweestapsauthenticatie*. Zet tweestapsauthenticatie aan voor uw mail. U moet dan een code invullen die u via sms ontvangt als u inlogt vanaf een onbekende computer. Dit kunt u aanzetten via de accountinstellingen van uw mail, zie www.consumentenbond.nl/veiligonline voor een uitgebreid stappenplan.
2. *Wachtwoordmanager*. Gebruik verschillende wachtwoorden voor uw accounts! Het beste is om hiervoor een wachtwoordmanager te gebruiken als KeePass of LastPass.
3. *Blijf up-to-date*. Houd het besturingssysteem van uw computer en smartphone up-to-date.
4. *Vergeten accounts*. Sluit accounts die u nooit (meer) gebruikt, zodat ook hackers er niets aan hebben.
5. *Links in mails*. Klik nooit zomaar op een link in een e-mail. Typ het adres zelf in de browser als u het niet vertrouwt. Controleer altijd of het adres klopt, ook als u de link wel vertrouwt.
6. *Inloggen met Google*. Als u op een website kunt inloggen met uw Google- of Facebookaccount, controleer dan of in de adresbalk van het inlogscherm google.com of facebook.com staat, en of de verbinding versleuteld is (een slotje en soms een groene adresbalk). Het is beter niet op deze manier in te loggen, maar met uw mailadres een account aan te maken.
7. *Geheime vraag*. Moet u ergens een antwoord op een 'geheime vraag' invullen voor het geval u uw wachtwoord bent vergeten, vul dan een antwoord in dat u alleen zelf kunt weten. Kies geen antwoord dat eenvoudig online te vinden is, zoals de naam van uw partner of uw geboortedatum, maar kies iets wat u alleen weet.
8. *Leeg regelmatig uw mailbox*. Ook de verzonden items.
9. *Zegt het voort*. Wijs de mensen met wie u veel contact heeft op deze tips. Als hun account gehackt wordt, maakt dat u ook extra kwetsbaar.

5.2d Het nieuwe betalen

Betalen door je bankpas of mobieltje voor een betaalautomaat te houden: 'contactloos betalen' kan sinds april 2014 bij Kiosk, De Broodzaak en Julia's op NS-stations. Het wordt in Nederland steeds verder uitgerold. Is dat een stap verder in betaalgemak of een paradijs voor criminelen? Hoe het werkt? Je houdt een bankpas of mobiele telefoon tegen of enkele centimeters voor een betaalautomaat. Een NFC-chip (*near field communication*) in de pas zendt radiosignalen uit, waardoor er direct geld van de bankrekening wordt afgeschreven.
Bij bedragen tot en met €25 is geen bevestiging en pincode nodig. Voor bedragen boven de €25 of als u opgeteld boven de €50 uitkomt, wordt wel om verificatie gevraagd. Het maakt hierbij niet uit hoeveel tijd er tussen de betalingen zit.

Met bankpas of mobiel

Klanten van ING en ABN Amro krijgen, zodra hun pas verouderd is, een nieuwe bankpas met NFC-chip. Voor sommigen duurt dat nog een paar jaar, anderen hebben de pas al ontvangen. Wie er meteen een wil hebben, kan hem bij zijn bank aanvragen.
Klanten van de Rabobank kunnen binnenkort contactloos betalen via de mobiele telefoon. Hiervoor heeft u een Androidtoestel van maximaal 2 jaar oud nodig, voorzien van een NFC-chip. De Apple iPhone heeft die chip niet. De chip kan met een app gekoppeld worden aan de bankrekening. Bij Rabobank kunt u alleen contactloos betalen met een smartphone, niet met de pinpas.

Misbruik

Is deze betaalmethode wel veilig? Als een zakkenroller zo'n contactloze betaalpas in handen krijgt, kan hij daarmee heel makkelijk zonder pincode tot het maximale bedrag betalen. Een andere vrees van consumenten is dat iemand op afstand geld van hun bankrekening plundert. Volgens Jan Friso Groote, hoogleraar softwareverificatietechnologie aan de Technische Universiteit Eindhoven, kunnen criminelen van iedere betaalmethode misbruik maken. Hij schat de risico's bij contactloos betalen niet groter in dan bij andere betaalmethoden (*Consumentengids* april 2014). Wel komen bij contactloos betalen andere vormen van misbruik in beeld. Zo kan een kwaadwillende na verlies of diefstal met die pas of mobiel ongehinderd tot €50 afrekenen. Ook kan een betaalautomaat verborgen worden in bijvoorbeeld een toonbank of een plankje in een openbaar toilet. Zodra u een portemonnee met pas of smartphone hierop legt, wordt er geld afgeschreven totdat de limiet is bereikt.

Tip

Retourpinnen

Sinds april 2014 kunnen ondernemers die klant zijn van Rabobank Retourpinnen aanbieden. Deze dienst maakt het mogelijk het aankoopbedrag via de betaalautomaat van de winkel terug te storten op de betaalrekening. De winkelier kan hiervan gebruikmaken als u een artikel terugbrengt.

Retourpinnen is alleen mogelijk als u de aankoop ook met een pas (bankpas of creditcard) heeft gedaan. U moet daarom de pinbon kunnen tonen. Retourpinnen hoeft overigens niet met dezelfde pas als waarmee is betaald. U krijgt een retourpinbon als bewijs en het geld wordt de volgende werkdag op de rekening gestort die gekoppeld is aan de pas waarmee u retourpint.

Hoewel Rabobank het Retourpinnen als eerste aanbiedt, zijn alle betaalpassen geschikt. De winkelier moet wel klant zijn van Rabobank, maar nog dit jaar kunnen ook zakelijke klanten van ING en ABN Amro Retourpinnen aanbieden. Winkels waar Retourpinnen mogelijk is, zijn te herkennen aan het logo.

Wat als u liever contant geld terugkrijgt? Kunt u dat dan eisen? Dat hangt af van de verkoopvoorwaarden van de winkelier. Als daarin staat dat u uw geld via hetzelfde betaalmiddel terugkrijgt als is gebruikt bij de oorspronkelijke betaling, kan de winkelier ervoor kiezen uw geld alleen via Retourpinnen terug te geven.

De schade bij dit soort misbruik blijft voor de consument beperkt tot €50. ING en ABN Amro vergoeden dit bedrag bij verlies of diefstal. Overigens kunt u contactloos betalen uitschakelen (ING) of een pas aanvragen zonder NFC-chip (ABN Amro).

Kwaadwillenden kunnen ook afluisterapparatuur vlakbij de betaalautomaat plaatsen. Het signaal van de chip wordt dan afgeluisterd en gekopieerd naar een andere pas of mobiel, waarmee weer wordt betaald. Dit zou opnieuw kunnen, zodra de rekeninghouder bij het bereiken van de limiet weer een pincode heeft ingetoetst. Dit kan volgens Groote voorkomen worden als de chip bij iedere betaling een ander signaal afgeeft. MasterCard benadrukt dat dit het geval is. Ook hierbij blijft de schade dus beperkt tot €50.

Handig voor kleine bedragen

De Consumentenbond staat positief tegenover contactloos betalen. Deze extra betaalmogelijkheid is vooral voor kleine bedragen handig. Wij hebben nog geen aanwijzingen dat het niet veilig zou zijn.

5.2e Banken in de fout

In par. 5.2c bespraken we de uniforme veiligheidsregels voor banken. Als u daaraan voldoet, is er in geval van fraude geen discussie: de bank stelt u dan schadeloos. Dat is natuurlijk een goede ontwikkeling, maar sommige banken schenden die veiligheidsregels zelf... (*Geldgids* april/mei 2014)

Open en bloot

De eerste regel, 'houd uw beveiligingscodes geheim', blijkt voor diverse banken al te hoog gegrepen. Als u bij ING het vakje 'gebruikersnaam onthouden' aanvinkt, wordt die namelijk onversleuteld in een cookie opgeslagen. Iedereen met toegang tot de computer kan de gebruikersnaam lezen.

In Internet Explorer 11 gaat ING nog verder, daar kunt u ook het wachtwoord van internetbankieren opslaan. U hoeft dan nooit meer uw wachtwoord in te vullen, maar grote kans dat ING in geval van fraude de rekening bij u neerlegt. Zeg daarom nooit 'ja' op de vraag of een browser de inloggegevens op mag slaan.

Voor SNS Bank en RegioBank geeft de Consumentenbond het advies de gebruikersnaam in bolletjes of sterretjes weer te geven. In hun voorwaarden staat dat de klant ervoor moet zorgen 'dat anderen de gebruikersnaam en het wachtwoord niet kunnen zien als hij deze intoetst'. Lastig, aangezien de gebruikersnaam zichtbaar is op het scherm tijdens het intypen. Tijdens het intypen kun je het toetsenbord nog wel afschermen, maar tegelijkertijd het beeldscherm afschermen is geen doen.

Kille afhandeling

Als de vrouw van meneer X begin 2013 overlijdt, laat hij de gezamenlijke rekeningen op zijn naam zetten. Zo ook hun spaarrekening en twee deposito's bij de LeasePlan Bank. Hij stuurt hiervoor een verzoek met een verklaring van erfrecht naar de bank. Tot zijn schrik krijgt X een maand later een e-mail van de bank met de kille mededeling dat alle rekeningen zijn opgeheven en dat de bedragen zijn gestort op zijn Raborekening. Voor meer informatie kan hij naar een betaald servicenummer bellen.

Als X naar zijn internetbankieromgeving snelt, kan hij oude transacties niet meer inzien. Wel ontvangt hij twee weken later de laatste rentestanden, gericht aan zijn vrouw. X voelt zich emotioneel en financieel geraakt: 'De rente van nieuwe deposito's is veel lager. Bovendien ben ik door de lagere rente op mijn Raborekening zo'n €1000 misgelopen.'

LeasePlan Bank: 'Wij hebben niet duidelijk gecommuniceerd dat we een rekening altijd opheffen bij overlijden. Mijnheer ontvangt een Bijenkorfbon voor het ongemak.'

Leergeld, Geldgids februari/maart 2014

'ING mailt niet met klanten'

Een van onze leden tipte ING over een valse e-mail en voldeed daarmee aan regel vijf: 'Meld incidenten direct aan de bank en volg aanwijzingen van de bank op.' Maar wat daarna gebeurde, was niet in de haak. ING bedankte de klant per mail en sloot af met een tip: 'Log nooit in via een e-mail.' Direct gevolgd door een aanklikbare link, nota bene naar de website van ING.

Wij belden daarop zelf de 'alarmlijn' van ING, en kregen het verrassende antwoord: 'ING mailt niet met klanten. En klanten mogen nóóit op links naar de website van de bank klikken!'

Meer risico met virusscanner

Regel drie luidt: 'Zorg voor een goede beveiliging van de apparatuur die u gebruikt voor uw bankzaken.' Gek genoeg blijkt uit de voorwaarden dat iemand mét virusscanner minder (!) kans maakt op schadeloosstelling bij fraude dan iemand zónder. Want áls de klant een virusscanner gebruikt, moet deze up-to-date zijn. Die eis is er logischerwijs niet wanneer de klant geen virusscanner heeft, iets wat de voorwaarden toestaan. De Consumentenbond vindt dat banken de up-to-date-eis moeten laten vallen, aangezien een virusscanner niet verplicht is.

Windows XP

Draait uw computer op Windows XP? Dan is hij sinds 8 april 2014 niet meer up-to-date. Microsoft voert namelijk geen updates meer uit voor dit systeem. Als uw computer op XP draait, schendt u dus direct regel drie.

Betalen voor alerts

X heeft voor zijn betaal- en effectenrekening bij ABN Amro betaal-alerts ingesteld. Hij krijgt een e-mail als roodstand dreigt of als grotere, mogelijk frauduleuze, bedragen worden afgeboekt. Hij betaalt hiervoor €0,05 per alert. Voor zijn effectenportefeuille heeft X ingesteld dat dividend automatisch wordt herbelegd; het saldo op de rekening blijft dan ongewijzigd.

Tot zijn irritatie schrijft de bank echter het dividend af van zijn rekening en daarna weer bij, wat heel even een lager saldo betekent. Gevolg: een alert voor een lager saldo, dat bij het inloggen al niet meer bestaat. Ook als X een groter bedrag overboekt naar zijn spaarrekening, volgt er een alert. Als hij over de tientallen zinloze, betaalde alerts bij de bank klaagt, zegt een medewerker hier niets aan te willen doen.

ABN Amro: 'Om onnodige alerts te voorkomen, kunnen wij een aparte beleggersspaarrekening voor X openen.'

Leergeld, Geldgids februari/maart 2014

Tip

Betaaltips

- **Voorkomen is beter dan genezen, dus controleer bij betalingen altijd heel zorgvuldig of het goede rekeningnummer is ingevuld.**
- **Veelgebruikte rekeningnummers kunt u bij internetbankieren het best opslaan in het adresboek.**

5.3 Financieel dienstverleners

Onder financieel dienstverleners vallen veel verschillende bedrijven en personen. Allereerst zijn dat de bedrijven die een financieel product aanbieden, zoals banken en verzekeraars. Ze bieden die producten deels rechtstreeks aan de klant aan, maar vaak ook via tussenpersonen. Daarnaast zijn er zelfstandige financieel bemiddelaars en financieel adviseurs die alleen adviseren en geen product verkopen. In deze paragraaf gaan we met name in op de zelfstandige financieel dienstverleners. In par. 5.2 kunt u meer lezen over banken.

5.3a Hoe kies ik een goede adviseur?

Er zijn veel verschillende financieel adviseurs, hoe weet u nu welke goed is? Er zijn enkele dingen waar u sowieso op kunt letten.

Zorgvuldig advies

Een adviseur of een bemiddelaar heeft een uitgebreide zorgplicht. Op basis hiervan hoort hij u zorgvuldig advies te geven. De AFM bevordert zorgvuldige dienstverlening onder andere door in leidraden voorbeelden te geven van wat zorgvuldige financiële dienstverlening is. Deze leidraad kunt u nalezen op www.afm.nl/consumenten/vertrouwen. We noemen hier kort de belangrijkste aspecten.

Een zorgvuldig advies houdt onder andere in dat de adviseur u tijdens de kennismaking vertelt hoe hij werkt, wat zijn diensten kosten en wat u wel en niet van hem kunt verwachten. De adviseur zal proberen een helder beeld te krijgen van het advies dat u wilt. Ook zal hij globaal nagaan wat uw financiële positie is. U moet hem hiervoor natuurlijk wel juiste en volledige informatie geven.

Aan het einde van de kennismaking moet u het volgende weten:

- Hoe en hoeveel gaat u de adviseur betalen?

- Adviseert de adviseur in meerdere soorten producten en/of aanbieders? Zo nee, realiseert u zich dan goed dat hij niet altijd het goedkoopste of beste product hoeft aan te raden.
- Welke informatie moet u hem geven en wat moet u wellicht nog meer doen?

ip

Advieskeuze

Begin 2013 heeft de Consumentenbond een aandeel genomen in www.advieskeuze.nl, een onafhankelijk onlineplatform dat de dienstverleningsvormen, adviestarieven, klantwaarderingen (reviews), opleidingsniveaus enzovoort van financieel advieskantoren zichtbaar maakt. Advieskeuze helpt consumenten bij het vinden van een goed advieskantoor of goede adviseur en biedt bedrijven de mogelijkheid om zich op een neutraal platform te presenteren.
Advieskeuze is geen adviseur, aanbieder of bemiddelaar en accepteert geen lead- of doorklikvergoedingen van de advieskantoren die getoond worden. Er is dus geen prikkel om de ene partij beter of anders te tonen dan de andere.
Advieskeuze verwerft zijn inkomsten voornamelijk uit de verkoop van webmodules en rapportages aan banken, verzekeraars en landelijke ketens van advieskantoren waarmee deze partijen de tevredenheid van klanten over hun diensten kunnen monitoren.
De reacties van de markt op het initiatief zijn zeer positief. De financiële sector staat onder druk om klanten centraler te stellen, kwaliteit te verbeteren en transparanter te worden en Advieskeuze voorziet in die behoefte. De waarde van het platform stijgt gestaag: alle advieskantoren in Nederland zijn via het platform vindbaar. Een groeiend deel daarvan is ook actief: ze vragen actief om reviews van hun klanten en vullen hun tarieven, kantoorinformatie en dienstverleningsdocumenten in. De site van de Consumentenbond is inmiddels gekoppeld aan het Advieskeuzeplatform. Op diverse financiële dossiers kunnen bezoekers beoordelingen achterlaten of die van Advieskeuze raadplegen.

Naast deze kennismakingsprocedure kenmerkt een zorgvuldig advies zich ook door de hulp die de adviseur na het afsluiten biedt, via het volgen van de vermogensopbouw en evaluatie van de haalbaarheid van de doelstelling. Als het goed is, neemt hij regelmatig contact met u op om te controleren of uw doelstellingen en situatie nog hetzelfde zijn. Op uw beurt moet u zelf de adviseur op de hoogte brengen van belangrijke veranderingen in uw persoonlijke situatie.

Dienstverleningsdocument

Adviseurs en bemiddelaars in complexe producten of hypothecaire kredieten zijn verplicht hun klanten een dienstverleningsdocument te geven. Hierin moet informatie staan over de aard en reikwijdte van de dienstverlening en de beloning die hier tegenover staat. Sinds 1 juli 2013 is het dienstverleningsdocument gestandaardiseerd, zodat het voor klanten herkenbaar is. Het dienstverleningsdocument moet ook online beschikbaar zijn.
Ook aanbieders die hun producten rechtstreeks aanbieden, moeten het dienstverleningsdocument gebruiken.

Check de vergunning

Alle financieel dienstverleners in ons land moeten een AFM-vergunning hebben. Check dus altijd of de organisatie waar de adviseur voor werkt deze heeft. De AFM-vergunningen gelden voor beperkte onderdelen. Voor hypotheken is een andere vergunning nodig dan voor verzekeringen. Bij het verlenen van vergunningen wordt onderscheid gemaakt tussen dienstverleners die adviseren wat voor uw situatie een goede oplossing is en dienstverleners die alleen een overeenkomst sluiten terwijl u zelf aangeeft welk product u wilt. Logischerwijs zijn de eisen voor adviserende dienstverleners strenger dan die voor hun louter bemiddelende collega's. In het laatste geval speelt u immers zelf een grotere rol. Veel financieel dienstverleners doen aan advisering. Als een dienstverlener alleen bemiddelt, moet hij dat vooraf duidelijk aangeven.
Om een vergunning te krijgen, toetst de AFM de financieel dienstverlener op de volgende onderdelen:

- betrouwbaarheid;
- deskundigheid;
- financiële zekerheid;
- adequate en integere bedrijfsvoering;
- transparantie;
- zorgplicht.

Tussenpersonen kunnen zich aansluiten bij brancheorganisatie Adviseurs in Financiële Zekerheid (Adfiz, zie Adressen). Deze organisatie stelt eisen met betrekking tot de onafhankelijkheid van de adviseur. Bovendien mag een aangesloten adviseur niet exclusief zaken doen met één aanbieder.

Integer?

Gecertificeerde adviseurs staan in een register, bijvoorbeeld voor beleggen (DSI), hypotheken (SEH) en financiële planning (FFP). Maar dat geeft geen volledige garantie op integere adviseurs. Controleer in ieder geval altijd bij DSI of de beleggingsadviseur met wie u in zee wilt gaan niet geschorst is (www.dsi.nl). Vraag de adviseur ook of hij ooit geschorst is geweest. Daar moet hij eerlijk antwoord op geven.
Iedere adviseur die klantcontacten heeft, moet vanaf 2015 een WFT-diploma hebben. Helaas bestaat er geen centraal register waarin dat te checken is. Indien ingevuld, staat het wel op www.advieskeuze.nl.

Schrale uitkering

Gien Lutgerink heeft een lijfrenteverzekering van Interpolis afgesloten via een tussenpersoon. De maandelijkse uitkeringen worden vanaf 2007 jaarlijks met 3% geïndexeerd. Tenminste, dat is de bedoeling. Lutgerink is dan ook verbaasd als de uitkeringen vanaf 2009 gelijkblijven en trekt aan de bel bij haar tussenpersoon. Als er in 2013 nog steeds niets is gebeurd, trekt ze stevig van leer tegen de adviseur. Uiteindelijk krijgt ze excuses en een fikse nabetaling van ruim €1200 door Interpolis. 'Als je zelf niet oplet, loop je flink wat geld mis', waarschuwt Lutgerink. Interpolis: 'Wij hebben de klacht helaas niet eerder ontvangen van de tussenpersoon. De fout is hierdoor te laat hersteld.'
Leergeld, Geldgids juni 2014

Kwaliteitskeurmerken
Er bestaan verschillende keurmerken op het gebied van financieel advies. Een hypotheekbemiddelaar dient in ieder geval het keurmerk Erkend Hypotheekadviseur te hebben.
Bij een financieel planner geeft een FFP-certificering aan dat hij terdege is opgeleid. Controleer op www.ffp.nl of uw planner voldoende gecertificeerd is.

Daarnaast is er het keurmerk Financiële Dienstverlening. Het stelt onder meer eisen aan de deskundigheid en de behandeling van de klant; zie www.kfdkeurmerk.nl.

Niet persoonsgebonden

Het keurmerk Financiële Dienstverlening is aan een kantoor gebonden en dus niet aan een adviseur.

Eigen waarneming

Ga ten slotte ook af op uw eigen waarneming. Bekijk bijvoorbeeld hoe de adviseur zijn informatie verzamelt. Vraagt hij uitgebreid door of komt hij direct met een product op de proppen?

Een goede adviseur vraagt in ieder geval:

- hoeveel u maximaal wilt betalen aan maandlasten;
- uw inkomen, uitgaven, schulden en vermogen;
- uw plannen voor de toekomst: misschien wilt u minder gaan werken of (eerder) met pensioen;
- of u stabiele maandlasten wilt of lasten die van maand tot maand variëren;
- hoeveel u af wilt en kunt lossen;
- het risico dat u bereid bent te nemen bij het aflossen van uw hypotheek.

Een goede adviseur rekent de bruto- en nettokosten van een hypotheek niet alleen uit voor nu, maar ook voor over bijvoorbeeld 10, 20 en 30 jaar. Verder controleert de adviseur altijd of u alles goed heeft begrepen, geeft hij antwoord op al uw vragen, verstrekt hij een adviesrapport als u daarom vraagt en vraagt hij een passende beloning. Hij hoort u gelijk na het eerste oriëntatiegesprek te vertellen hoe u hem moet betalen (zie par. 5.3b). Dit kan via een uurtarief, een vast tarief, een abonnement of op provisiebasis. Dat laatste mag niet bij elk product, zie het kader 'Provisie verboden!' verderop.

Tip

Drie belangrijke aandachtspunten

- **Stel zo veel mogelijk vragen en sluit alleen financiële producten af die u begrijpt.**

- Vraag bij een complex financieel product om de Financiële Bijsluiter (zie par. 5.7b).
- Meld bij het Meldpunt Financiële Markten van de AFM wanneer u niet goed wordt geïnformeerd.

Tip

Tips voor een goede keus

- Ga bij meerdere verstrekkers of bemiddelaars langs. Op deze manier kunt u ze vergelijken, voordat u met een bemiddelaar in zee gaat.
- Vergelijk de advies- en bemiddelingskosten eens met die van een tussenpersoon die met andere banken en verzekeraars samenwerkt. Kijk niet alleen naar de verschillen in advieskosten, maar ook naar de kwaliteit van het advies. Een goed advies voor een relatief hoog tarief levert u uiteindelijk misschien wel meer op. Klantbeoordelingen van adviseurs vindt u op www.advies-keuze.nl.
- Vraag aan een tussenpersoon hoe hoog de advies- en bemiddelingskosten zijn. Hij moet dit doorgeven voordat de overeenkomst tot stand komt. Hij moet bij complexe producten en hypothecaire kredieten een dienstverleningsdocument overleggen. Heeft hij een website, dan hoort dat document op die site te staan.
- Moet u voor het advies in de toekomst ook betalen of zit dat bij de huidige prijs inbegrepen?
- Probeer kritisch te zijn. Wat doet de tussenpersoon precies voor het geld? Kan het iets minder? Kunt u zelf informatie inwinnen, voorwerk doen en daarmee korting krijgen?

5.3b Kosten

Als gevolg van verschillende affaires in de financiële wereld, denk aan woekerpolissen, zijn de regels voor assurantietussenpersonen en verzekeraars steeds verder aangescherpt. De adviseur moet sinds 2009 vooraf duidelijkheid geven over de hoogte van de provisie. Sinds 1 januari 2013 is het rekenen van provisie voor bepaalde producten, zoals hypotheken, zelfs verboden; zie het kader 'Provisie verboden!'.

Tip

Provisie verboden!

Tussenpersonen mogen geen provisie meer ontvangen bij het afsluiten van de volgende complexe financiële producten:

- uitvaartverzekeringen;
- levensverzekeringen;
- bankspaarproducten;
- deelnemingen in een beleggingsfonds (vanaf 2015; voor 2014 geldt een overgangsregeling);
- hypotheken;
- betalingsbeschermers;
- overlijdensrisicoverzekeringen;
- individuele arbeidsongeschiktheidsverzekeringen.

Voor schadeverzekeringen, zoals een woonhuis- of autoverzekering, en voor consumptief krediet geldt geen provisieverbod; een tussenpersoon hoeft hiervoor dus ook geen dienstverleningsdocument te overleggen. Het provisieverbod geldt niet voor lopende producten met een contract dat vóór 1 januari 2013 is afgesloten. Voor deze contracten verandert er niets en hoeft u niet opnieuw te betalen. Voor (een deel van) de diensten heeft u namelijk al betaald via provisie. Sinds 1 januari 2014 zijn ook provisies en aanbrengvergoedingen bij beleggingen verboden (zie het kader 'Provisieverbod' bij par. 5.7b).

Provisie

De provisie is de beloning die een tussenpersoon ontvangt van een financiële instelling (zoals een bank) voor het bemiddelen voor zijn product. De kosten ervan zijn verwerkt in de prijs van het product. Er zijn drie soorten provisies: afsluitprovisies, doorlopende provisies en bonusprovisies (die komen boven op het salaris van de tussenpersoon als een bepaalde omzet wordt gehaald).

Zoals u heeft kunnen lezen, mogen tussenpersonen bij complexe financiële producten en bij beleggingen geen provisie meer ontvangen. Ook bonusprovisies bij complexe financiële producten zijn sinds 1 januari 2009 verboden. Sinds 2009 stelt de wet verder dat provisies 'passend' moeten zijn. Ofwel: de vergoeding moet in verhouding staan tot het werk dat de tussenpersoon ervoor doet. Hier zijn geen vaste regels voor.

Voor directe beloningen, waarbij de tussenpersoon tegen uurtarief of voor een vaste vergoeding werkt, geldt sinds 2009 een open norm. Dit geeft de AFM de mogelijkheid op te treden als klanten een excessief hoge factuur krijgen die afbreuk doet aan het belang van de klant.
De afspraak over beloning en tarief blijft primair een zaak tussen de klant en de adviseur. De klant zal zelf moeten bepalen of hij de in rekening gebrachte advieskosten redelijk vindt, gelet op de aard en omvang van de dienstverlening. De AFM kan pas sancties opleggen aan de bemiddelaar of adviseur als er sprake is van een kennelijk onredelijke vergoeding. De AFM kan geen excessieve vergoedingen terugvorderen.

Risico's. Er kleven ook risico's aan deze nieuwe manier van belonen. Bij een uurtarief bijvoorbeeld is de adviseur erbij gebaat veel uren te maken. Dat zou de kwaliteit van het advies weliswaar ten goede kunnen komen, maar de adviseur kan er ook meer tijd in steken dan noodzakelijk is. Bij een vast eindbedrag of abonnement weet de klant wel vooraf precies hoeveel hij betaalt.
Ook banken en verzekeraars die rechtstreeks aan consumenten verkopen, werken met advies- en bemiddelingskosten bij producten die onder het provisieverbod vallen.

Andere beloningssystemen
Een ander beloningssysteem is het serviceabonnement dat klanten bij een aantal tussenpersonen kunnen nemen voor doorlopend advies, over bijvoorbeeld hun hypotheek of schadeverzekeringen. Een serviceabonnement mag alleen diensten bevatten waarvoor de klant niet op een andere manier betaalt of betaald heeft.
Bij een serviceabonnement voor een hypotheek betaalt u bijvoorbeeld voor periodiek advies tijdens de looptijd van de hypotheek. De vraag is hoe zinvol dit is: meestal is het goedkoper om tijdens de looptijd van de hypotheek af en toe advies te vragen en dit apart te betalen.
Bij schadeverzekeringen betaalt u bij een serviceabonnement meestal een nettoverzekeringspremie (dus zonder provisieopslag). De provisie is dan verwijderd uit de premie van de verzekering, die daarmee flink lager wordt. Wie alleen een inboedel- en aansprakelijkheidsverzekering heeft, is zeker niet goedkoper uit met een abonnement. U kunt er dan voor kiezen toch provisie te betalen.

Diplomaplicht adviseurs

Op 1 januari 2014 is het nieuwe WFT-vakbekwaamheidsstelsel ingevoerd. Alle medewerkers van banken en advieskantoren die contact hebben met klanten, moeten altijd aantoonbaar actueel vakbekwaam zijn. Daarvóór was het voldoende als een leidinggevende van het betreffende advieskantoor WFT-diploma's had. Een klant kon dus niet weten of degene met wie hij een afspraak had over de juiste diploma's beschikte. Er is helaas (nog) geen centraal register waarin alle adviseurs zijn opgenomen.

5.4 Sparen

Sparen kan op verschillende manieren en bij verschillende financiële instellingen. U kunt uw geld op een spaarrekening zetten, in een deposito storten of in een spaarverzekering stoppen. Sommige banken geven ook creditrente op de betaalrekening, al is dat vaak erg weinig. U kunt dus terecht bij banken, maar ook bij verzekeraars.
Als u uw spaargeld kwijt zou raken, is dat een ramp. Gelukkig wordt dat risico ondervangen door de WFT en het depositogarantiestelsel.

5.4a WFT

In de WFT is vastgelegd dat banken die in Nederland spaarproducten aan particulieren of ondernemers aanbieden onder toezicht staan van DNB en de AFM (zie par. 5.1a). Zij moeten een DNB-vergunning hebben. Alle banken met een DNB-vergunning dragen naar rato bij aan een fonds, waaruit de klanten in eerste instantie schadeloos worden gesteld als er onverhoopt toch een bank failliet gaat (zie par. 5.4b).
Als een bank een DNB-vergunning heeft, mag deze ook elders in Europa (de 27 lidstaten van de Europese Unie, Noorwegen, IJsland en Liechtenstein) gebruikt worden. Andersom mogen banken uit deze landen met een vergunning ook in Nederland zakendoen. Zij staan onder liquiditeits- en integriteitstoezicht van DNB. Als zo'n bank failliet gaat, moet u bij de toezichthouder in het land van herkomst aankloppen. Ook geld dat bij een Nederlands bijkantoor staat, valt dan in het faillissement.

5.4b Het depositogarantiestelsel

Het depositogarantiestelsel, dat wordt uitgevoerd door DNB, garandeert dat u bij faillissement van een Nederlandse bank uw spaargeld tot

€100.000 terugkrijgt. Dit is ongeacht het aantal rekeningen dat u heeft bij die bank.
Het maximum geldt wel voor alle saldi samen. Stel: een rekeninghouder heeft twee rekeningen met saldi van €50.000 en €70.000, samen is dit €120.000. Hij krijgt daarvan dus maar €100.000 vergoed. Bij een en/of-rekening geldt dit maximum per persoon. Dus als het saldo van een en/of-rekening €200.000 bedraagt, kunnen de rekeninghouders in beginsel aanspraak maken op ieder €100.000.
Voor uitgebreide informatie kunt u terecht op www.dnb.nl of op de site van de Consumentenbond (zoek op beide sites op 'depositogarantiestelsel'). Vragen over de garantieregeling kunt u stellen aan de Informatiedesk van DNB, zie Adressen.

De Zilvervloot gemist

Eind 2013 willen Wim Pronk en zijn vrouw voor de eerste verjaardag van hun kleinzoon €100 op een Zilvervlootrekening van SNS Bank storten. Omdat hun dochter de rekening schriftelijk moet openen, dient zij de aanvraag in. Na een maand is er echter nog altijd geen rekening voor de kleine spaarder in spe.
Als Pronk hier meermaals achteraan belt, blijkt dat de bank de papieren niet heeft gekregen. Na nogmaals alles te hebben opgestuurd, blijft het wederom stil. Als SNS, inmiddels twee maanden en een renteverlaging van 0,2% later, voor de derde maal om de papieren vraagt, is Pronk het zat. Hij maant de bank haar zaakjes intern op orde te brengen, maar een reactie laat nog steeds op zich wachten.
SNS Bank: 'Door een fout in onze interne procedures is de aanvraag voor de spaarrekening vertraagd. Wij zullen de rekening activeren en de misgelopen rente compenseren.'
Leergeld, Geldgids juni 2014

Voorwaarden
Rekeninghouders moeten aan een aantal voorwaarden voldoen om in aanmerking te komen voor een vergoeding uit het depositogarantiestelsel:
- De rekeninghouder moet gedekt worden door het depositogarantiestelsel. Dat geldt voor particulieren of kleine ondernemingen. Het

geldt niet voor bestuurders van een bank met betalingsproblemen, mensen die een belang van 5% of meer in die bank hebben, de directe familie van de hier genoemde personen, financiële ondernemingen en overheden.
- De bank moet onder het depositogarantiestelsel vallen (check het WFT-register).
- Het product moet onder het depositogarantiestelsel vallen. Dat geldt voor vrijwel alle betaal- en spaarrekeningen, lopende rekeningen en termijndeposito's; aandelen en obligaties vallen er doorgaans niet onder.

Buitenlandse bank

Zoals gezegd vallen niet-Nederlandse banken niet onder het depositogarantiestelsel van DNB. Via de website van DNB kunt u nagaan of de bank is gedekt door een buitenlands depositogarantiestelsel. Via 'Toezicht', 'De consument en toezicht' kunt u zoeken in de WFT-registers. Uw bank is gedekt door een buitenlands depositogarantiestelsel als onder 'EU paspoort (in)' een van de twee volgende punten vermeld wordt:
- bijkantoor van een bank uit de EER (2:14);
- verrichten van diensten bank uit de EER (2:18).

Tip

Derdenrekening

Mogelijk heeft u een tegoed op een derdenrekening. Dit is een rekening die een rekeninghouder aanhoudt voor u en een of meer andere personen, de derde(n). Voorbeelden zijn een rekening van een vereniging van eigenaren, een rekening van een firma of maatschap, een inzakerekening of een kwaliteitsrekening van een notaris bij de aan- of verkoop van onroerend goed.

Ook het saldo op een derdenrekening komt onder omstandigheden in aanmerking voor een vergoeding onder het depositogarantiestelsel.

5.4c Klachten

Bij spaarrekeningen kunnen verschillende dingen misgaan: u krijgt uw rente niet op tijd bijgeschreven, u moet een boeterente betalen terwijl u dat niet verwachtte enzovoort. Dit zijn vervelende zaken waarover u in eerste instantie contact met de bank moet opnemen. Als u er niet snel uitkomt (een simpele fout kan binnen een paar dagen hersteld zijn), dien dan een formele klacht in bij de bank. Doe dit altijd schriftelijk. Komt u er tijdens de klachtenprocedure niet uit, ga dan naar het Kifid (zie par. 5.1b en 5.1c).

5.5 Lenen

Kredietverstrekkers mogen in Nederland alleen geld uitlenen als ze een vergunning van de AFM hebben. U kunt geld lenen bij banken, maar ook bij andere kredietverstrekkers. Die werken vaak met een tussenpersoon. Als u bijvoorbeeld een auto koopt, fungeert de autoverkoper als tussenpersoon.
Een bemiddelaar of adviseur die u helpt bij het vinden van gunstige tarieven voor geldleningen, mag voor advies over een consumptieve lening (een doorlopend krediet of persoonlijke lening) geen kosten in rekening brengen. In plaats daarvan ontvangt hij een vergoeding van de kredietverstrekker. Het is overigens niet verplicht om u te laten adviseren over leningen.

5.5a Wetten en regels

Bij een lening (een kredietovereenkomst) spelen diverse wetten een rol.

Europese Richtlijn Consumentenkrediet
Doel van deze Europese richtlijn, die is opgenomen in de WFT, is de nationale wetgeving van de lidstaten te harmoniseren. Zo gelden nu in de hele Europese Unie dezelfde regels voor kredietverstrekkers en consumenten. Lidstaten hebben in principe geen vrijheid om van de richtlijn af te wijken, op een aantal punten na. Daarnaast wil de richtlijn consumenten beschermen bij het afsluiten van kredietovereenkomsten.
De bepalingen van de richtlijn zijn niet van toepassing op kredietovereenkomsten die vóór 1 juni 2011 zijn afgesloten. Tenzij deze worden gewijzigd, bijvoorbeeld door de kredietlimiet op te schroeven. Dan valt de overeenkomst wel onder de nieuwe wetgeving.
De belangrijkste bepalingen zijn:

- Kredietovereenkomsten met een looptijd van minder dan drie maanden vallen ook onder de regelgeving. Aanbieders van flitskredieten (relatief kleine leningen met een relatief korte looptijd) moeten nu ook aan de regels voldoen en een vergunning hebben.

- U kunt een kredietovereenkomst binnen 14 dagen nadat deze is afgesloten kosteloos en zonder opgaaf van redenen beëindigen.
- Als u schade lijdt doordat de kredietverstrekker u te laat heeft geïnformeerd, kunt u die schade verhalen op de kredietverlener.
- Kredietgevers moeten voor het afsluiten van de lening voldoende informatie geven, zodat de consument het krediet goed kan beoordelen. Hierbij moet de kredietgever rekening houden met de door de consument verstrekte informatie.
- In Nederland hoort bij reclame voor kredieten altijd een waarschuwingssymbool te staan en de waarschuwing: 'Let op! Geld lenen kost geld.' Reclame-uitingen voor consumptieve kredieten moeten bepaalde standaardinformatie bevatten in de vorm van een tabel. Het is niet meer toegestaan met een actietarief te adverteren: in de tabel moet altijd het hogere standaardtarief staan.
- In kredietovereenkomsten, de verplichte informatie vooraf en in reclame moet het jaarlijkse kostenpercentage staan. Dit bestaat uit de totale kosten van het krediet voor de consument, uitgedrukt in een percentage op jaarbasis van het totale kredietbedrag. Zo kan de consument verschillende kredietaanbiedingen makkelijk met elkaar vergelijken.
- In de richtlijn staat expliciet dat kredietaanbieders ook bij een belangrijke verhoging van de kredietlimiet informatie over de financiële positie van de consument horen in te winnen. Ze moeten nagaan of deze belangrijke verhoging verantwoord is om overcreditering van de consument te voorkomen.
- De consumentenrechten zijn uitgebreid. Zo kan de consument een kredietovereenkomst met onbepaalde looptijd, bijvoorbeeld een doorlopend krediet, nu altijd kosteloos beëindigen. Ook mag u het krediet geheel of gedeeltelijk vervroegd aflossen. De financiële instelling kan eisen dat u dit tegelijk met een termijnbetaling doet en het bedrag afrondt op een veelvoud van de termijnbetaling. Ook kan het zijn dat u hiervoor een vergoeding moet betalen.

De regels van de richtlijn gelden niet voor hypothecair krediet of ander krediet dat wordt afgesloten voor het kopen van onroerend goed, voor huur- of verhuurovereenkomsten waarbij geen aankoopverplichting van het verhuurde geldt en voor geoorloofd rood staan dat binnen een maand moeten worden afgelost.

Wet op het consumentenkrediet

Als consument wordt u bij het aangaan van een lening en gedurende de looptijd beschermd door de Wet op het consumentenkrediet (WCK). De wet geldt alleen voor leningen bij een beroepsmatige kredietverstrekker. Als u geld van uw buurman leent, kunt u zich niet op de wet beroepen. De belangrijkste punten uit deze wet zijn:

- De wet geldt maar zeer beperkt voor hypothecaire leningen en niet voor ondernemers en effectenkrediet waarbij de lening niet hoger is dan de waarde van de onderliggende effectenportefeuille (u leent dan geld met uw effectenportefeuille als onderpand).
- De kredietgever moet een AFM-vergunning hebben.
- De kredietgever moet de consument voldoende informatie geven over de lening.
- De kredietgever moet vastleggen wat de effectieve rente is. Dit is de totale kostprijs van uw lening bij normaal betalingsgedrag.
- Bij een lening van meer dan €1000 moet de kredietgever controleren of u kredietwaardig bent. Hierbij hoort een controle van uw gegevens bij het BKR.
- Als uw kredietaanvraag wordt afgewezen, heeft u recht op een schriftelijke opgave van de redenen.
- De betalingsregeling moet schriftelijk in een kredietovereenkomst worden vastgelegd. Onder de €1000 zijn de voorwaarden minder strikt dan boven dat bedrag.
- Een kredietgever mag uw verplichtingen niet tussentijds verzwaren. Ook mag hij de terugbetalingen niet vervroegd opeisen, tenzij er bijzondere omstandigheden zijn, zoals twee maanden achterstand die u ook na aanmaning niet heeft ingelopen, immigratie of faillissement.

Geen vergunning

Kredietbemiddelaars hoeven geen vergunning te hebben. Zij nemen immers niet zelf het financiële risico. Zij staan wel onder toezicht van de AFM.

Tip

Notaris niet nodig

Bij een lening wordt geen ondertekende onderhandse of notariële akte als voorwaarde gesteld. Het is voldoende als een kredietovereenkomst op papier of op een andere duurzame drager is aangegaan. Denk aan cd-roms, dvd's en de harde schijf van de computer.

Bureau Krediet Registratie

Het BKR (zie Adressen) is in 1965 door het financiële bedrijfsleven opgericht als centrale kredietregistratie. Dit om consumenten te beschermen tegen bovenmatig lenen en als bescherming van banken tegen wanbetalers. Het BKR registreert alleen kredieten aan natuurlijke personen (inclusief eenmanszaken) tussen de €500 en €175.000 die langer lopen dan drie maanden. Hypotheken worden alleen geregistreerd als er een betalingsachterstand is van meer dan 120 dagen.

Als u een nieuwe lening af wilt sluiten, controleert de aanbieder welke leningen u al heeft uitstaan en of u ooit een betalingsachterstand heeft gehad. Met behulp van de BKR-score krijgt de kredietverstrekker deels antwoord op de vraag hoeveel risico hij loopt als hij u een krediet verleent. Overigens controleren niet alleen banken de BKR-score, maar ook postorderbedrijven en creditcard- en leasemaatschappijen.

Als consument heeft u bij het BKR de volgende rechten:

- Recht van inzage: wilt u weten wat er over u staat genoteerd, vul dan bij uw bank het daartoe bestemde formulier in. U moet zich hierbij legitimeren en €4,95 betalen. U hoeft niet te zeggen waarom u de gegevens wilt inzien. Binnen een paar dagen krijgt u rechtstreeks van het BKR het overzicht van uw eigen gegevens. Wilt u de gegevens snel inzien, dan kan dit na telefonische afspraak bij het BKR zelf.
- Recht van correctie: als de gegevens niet kloppen, kunt u deze via uw bank laten corrigeren. Staan er onjuiste gegevens in uw dossier, dan krijgt u de €4,95 weer terug.
- Recht van protocol: u mag zien wie de afgelopen 12 maanden uw gegevens heeft opgevraagd. Ook dit kost €4,95.

Als u denkt dat uw gegevens onjuist vermeld staan en de bank wil niet meewerken aan het wijzigen hiervan, neem dan contact op met de Geschillencommissie BKR.

ip

Blijf aflossen

Blijf, ook in geval van een geschil, altijd op tijd uw termijnbedragen betalen. Anders riskeert u een achterstandsmelding bij het BKR. De kredietgever mag dit doen, mits hij een wachttijd van twee maanden hanteert en u vooraf informeert.

Wet schuldsanering natuurlijke personen (WSNP)

Door tegenslag kan het gebeuren dat u niet meer aan uw aflossingsverplichtingen kunt voldoen en in de schulden raakt. Sinds een aantal jaren is het, onder zware voorwaarden, mogelijk te komen tot een schuldsanering. Die heeft als doel u binnen een termijn van ongeveer drie jaar schuldenvrij te laten zijn, zodat u weer met een schone lei kunt beginnen en u niet tot in lengte van dagen in de financiële moeilijkheden zit. Schuldsanering loopt via de gemeente. Samen met gemeentelijke kredietbanken, instellingen voor schuldhulp of maatschappelijk werk maakt u een plan om de schulden af te betalen. Dit plan wordt gemaakt aan de hand van uw inkomen, vaste lasten, vermogen en de hoogte van uw schuld. Er wordt geprobeerd afspraken te maken met de schuldeisers. Lukt het met hen tot een 'minnelijk akkoord' te komen, dan betaalt u drie jaar lang een vast bedrag en wordt de rest van de schuld kwijtgescholden. Als dit niet lukt, kunt u via de gemeente beroep doen op de WSNP. Ook dan wordt een plan gemaakt om zo veel mogelijk af te betalen, maar de rechter dwingt de schuldeisers dan hieraan mee te werken.

U krijgt een bewindvoerder toegewezen die controle op de uitvoering van de regeling uitoefent. Hij mag uw post openen om te zien of u zich aan uw afspraken houdt. Verder kan hij u bijvoorbeeld dwingen goedkoper te gaan wonen. Dit is dus geen gemakkelijke weg.

Aan de WSNP-regeling zijn strenge voorwaarden verbonden. De Raad voor de Rechtsbijstand in Den Bosch coördineert de aanvragen voor de WSNP voor de rechtbanken. Zie www.wsnp.rvr.org voor meer informatie.

5.5b Klachten

Klacht over lening bij de bank

Heeft u een lening lopen bij een van de leden van de Nederlandse Vereniging van Banken (NVB, zie Adressen), dan moet u in eerste instantie een klacht indienen bij de bank zelf. Vraag hiervoor de klachtenprocedure op. Komt u er samen niet uit en heeft u de gehele klachtenprocedure doorlopen, dan kunt u een klacht indienen bij het Kifid (zie par. 5.1c).

Klacht over registratie bij BKR

Het kan zijn dat een kredietverlener een registratie bij het BKR heeft laten aanbrengen waar u het niet mee eens bent. Probeer er dan eerst met de betreffende kredietverlener of het BKR uit te komen. Als dit niet lukt, kunt u de Geschillencommissie BKR om een bindende uitspraak vragen. Voor het indienen van bezwaren bij de geschillencommissie gelden enkele voorwaarden:

- U moet aantonen dat u uw bezwaar al eerder kenbaar heeft gemaakt aan het BKR en/of aan de betreffende kredietverlener, zonder dat dit tot overeenstemming heeft geleid.
- U moet uw bezwaar schriftelijk indienen binnen twee maanden nadat het BKR en/of de betreffende kredietverlener uw verzoek tot correctie heeft afgewezen.
- U moet uw bezwaar aanhangig maken binnen 12 maanden nadat de betreffende registratie aan u bekend is geworden.
- U moet €22,50 betalen als bijdrage in de kosten. Deze krijgt u retour als u door de geschillencommissie in het gelijk wordt gesteld.

Naam onbekend

X wordt opgeschrikt door een brief van het voor hem onbekende bedrijf EDR, dat de kredietwaardigheid van consumenten blijkt te toetsen. EDR vraagt hem om een kopie van zijn paspoort en meldt hem dat zijn financiële situatie twee maanden eerder in kaart is gebracht. Omdat, zo stelt de brief onheilspellend, 'onze opdrachtgever u herhaaldelijk heeft verzocht om aan uw betalingsverplichting te voldoen'. X is zich van geen kwaad bewust en heeft recentelijk geen financiële producten aangevraagd. Als hij zijn broer raadpleegt, blijkt dat die eenzelfde brief heeft ontvangen. X vraagt herhaaldelijk telefonisch aan EDR wie de opdrachtgever is, maar een antwoord blijft uit. Ook wanneer hij schriftelijk inzage en verwijdering van zijn persoonsgegevens eist.

EDR: 'Wij zullen X binnen vier weken inzage bieden in zijn gegevens.'

Leergeld, Geldgids juni 2014

Klacht over schuldhulpverlening
Met een klacht over de schuldhulpverlening van een lid van de Vereniging voor schuldhulpverlening en sociaal bankieren (NVVK) moet u eerst naar het lid zelf toestappen. Ga na wat de klachtenprocedure is en doorloop die. Bent u niet tevreden met de uitkomst van de klachtenprocedure? Dan kunt u een klacht indienen bij de NVVK. Uw klacht wordt dan behandeld door de Commissie Kwaliteitszorg van de vereniging (zie Adressen).

5.6 Hypotheek

U kunt een hypotheek rechtstreeks bij de geldgever (bijvoorbeeld de bank of de verzekeraar) afsluiten, maar ook via een tussenpersoon. Er zijn ook enkele aanbieders die hun hypotheken uitsluitend via internet aanbieden.

5.6a Tussenpersoon

Hypotheekbemiddelaars vallen onder toezicht van de AFM. Die controleert of de bemiddelaars de consument van passend advies voorzien. Daarnaast controleert de AFM of de informatie in de Financiële Bijsluiter, die voor een aantal oudere hypotheekvormen verplicht is, juist is.
Sinds 1 januari 2013 mogen tussenpersonen niet meer op provisiebasis werken. U spreekt van tevoren een vast bedrag af of betaalt hem een bedrag per gewerkt uur.

Wachtbank

Om de maandlasten te verlagen, wil Paul ten Hof zijn ING-hypotheek wijzigen. Voor twee rentevaste delen wil hij de hypotheekrente verlagen, tegen betaling van een boete. Ten Hofs vader bespreekt de aanpassingen met een ING-adviseur, omdat zijn zoon als KLM-piloot vaak weg is. Ondanks vele mailtjes en belletjes van Ten Hof senior zijn de wijzigingen na zes maanden nóg niet goed doorgevoerd en rekent de bank nog steeds de oude, hoge rente.
Als reactie op de klachten moedigt een medewerker hem aan 'maar een brief naar de directie te sturen'. Eind oktober ontvangen de Ten Hofs eindelijk een telefoontje dat het geregeld is en wordt de te veel betaalde rente teruggestort.
Leergeld, Geldgids april/mei 2014

5.6b Gedragscode hypothecaire financieringen

Sinds 1 augustus 2011 geldt de huidige Gedragscode hypothecaire financieringen, opgesteld door de NVB. De gedragscode geldt voor iedere hypothecaire financiering die door een hypothecair financier als standaardproduct aan consumenten in het openbaar wordt aangeboden en verstrekt. In de code staan onder meer regels voor de voorlichting aan de hypotheeknemer, het maximale leenbedrag en het indienen van een klacht. De gedragscode geldt alleen voor nieuw af te sluiten hypothecaire kredieten. Op een verhoging van het hypotheekbedrag van een bestaande hypotheek zijn de nieuwe regels wel van toepassing.

Voorlichting

De hypothecair financier moet de klant helder en duidelijk informeren over ten minste de volgende zaken:

- de globale financiële consequenties en kosten van het kopen van een eigen woning en van een hypothecaire financiering;
- de globale fiscale gevolgen van het kopen van een eigen woning en het verkrijgen van een hypothecaire financiering;
- de belangrijkste overheidsregelingen op het gebied van het verwerven van een eigen woning;
- de aangeboden financieringsvormen met een beknopte uitleg over onder meer de verschillende aflossingsvormen, de verschillen tussen hypotheken met een vaste en een variabele rente en de gevolgen daarvan voor de klant;
- de soorten rente: vast, variabel of een combinatie van beide;
- hoe actuele informatie over nominale en effectieve rentepercentages te verkrijgen is;
- effectieve rentepercentages (als nominale rentepercentages zijn vermeld);
- de kosten die de hypothecair financier in rekening brengt of kan brengen bij het verstrekken van de hypothecaire financiering;
- hoe de algemene voorwaarden van de hypothecaire financiering verkrijgbaar zijn;
- bijkomende verplichtingen die aan een hypothecaire financiering zijn verbonden;
- de standaardverstrekkingsnormen met en zonder Nationale Hypotheek Garantie (NHG) in relatie tot de waarde van de woning;

- de tijdstippen waarop rente en/of aflossingen betaald moeten worden;
- de mogelijkheden tot extra of vervroegde algehele vergoedingsvrije aflossing, inclusief een eventuele vergoedingsregeling;
- de wijze waarop de voorlichtingsbrochure verkrijgbaar is;
- de mogelijkheid voor de hypothecair financier om de hypothecaire financiering bij het BKR aan te melden;
- de verplichting voor de hypothecair financier om eventuele betalingsachterstanden bij het BKR te melden;
- de eventuele verplichting om de woning te laten taxeren en, indien van toepassing, door wie deze taxatie uitgevoerd moet worden;
- naam en adres van de hypothecair financier en, indien van toepassing, naam en adres van de hypotheekbemiddelaar;
- dat de financier de gedragscode onderschrijft en bij welke vestiging van de hypothecair financier de gedragscode verkrijgbaar is.

Voorlichting beleggingshypotheken

Bij beleggingshypotheken die zijn verstrekt na 1 januari 2008 moet de hypothecair financier de consument een helder inzicht geven in de waardeontwikkeling van beleggingsverzekeringen die onderdeel zijn van een hypotheek. Daartoe moet hij de consument jaarlijks een overzicht geven van de daadwerkelijke waarde van de beleggingsverzekering. Daarbij worden, op basis van de actuele waarde, twee voorbeeldkapitalen gegeven op de beoogde einddatum van de belegging. Deze voorbeeldkapitalen worden vergeleken met het door de klant beoogde eindkapitaal.

Deze verplichtingen gelden niet voor beleggingsverzekeringen met een gegarandeerd eindkapitaal.

Hypotheeklastenberekening

De financier of hypotheekbemiddelaar moet de klant een hypotheeklastenberekening verstrekken. Die bevat ten minste de volgende elementen:

- te betalen rente;
- te betalen aflossing;
- premie te verpanden levensverzekering;
- eigenwoningforfait;
- erfpachtcanon;
- verplichte stortingen ten behoeve van te verpanden beleggingen.

Leencapaciteit

De hypothecair financier moet bij iedere hypotheekaanvraag van een consument beoordelen of de hypotheeklasten niet te hoog zijn voor diens inkomen en de waarde van de woning. De leencapaciteit wordt vastgesteld aan de hand van onder meer:

- de actuele woonlastpercentages, vastgesteld door het Nationaal Instituut voor Budgetvoorlichting;
- de huidige vaste inkomsten;
- ten minste de lasten van een 30-jarige annuïtaire lening.

Tip

Maximale leencapaciteit

Op www.consumentenbond.nl kunnen leden berekenen hoeveel ze maximaal kunnen lenen (zoek op 'maximale hypotheek berekenen). Die informatie kunt u gebruiken als u een adviesgesprek ingaat. Hier zijn ook de lasten die voortvloeien uit bestaande leningen en terug te betalen studiefinanciering, een eventuele erfpachtcanon en de alimentatie aan een ex-echtgenoot te vinden.

Beperkingen. Om te voorkomen dat consumenten een hypotheek afsluiten die ze niet kunnen afbetalen, mag een hypothecaire financiering niet meer dan 102% van de marktwaarde van de woning bedragen, vermeerderd met de verschuldigde overdrachtsbelasting (percentage 2014). Consumenten kunnen dus maximaal 104% van de waarde van een bestaande woning lenen. Dit percentage loopt de komende jaren met 1% per jaar terug, totdat vanaf 2018 maximaal 100% van de waarde van de woning geleend kan worden.

Ook mag het aflossingsvrije gedeelte maximaal 50% van de marktwaarde van de woning bedragen.

Geen aflossingsvrije hypotheek

In de praktijk is het heel onverstandig om een aflossingsvrije lening af te sluiten. Sinds 2013 kunt u namelijk de rente van een nieuw afgesloten aflossingsvrije hypotheek niet meer aftrekken van de belasting.

Klachten

Als een hypothecair financier een of meer bepalingen van deze gedragscode niet naleeft, kunt u een klacht indienen volgens het reglement van de Geschillencommissie Hypothecaire Financieringen.

5.6c Voorwaarden

Uw rechten en plichten ten aanzien van de hypotheek worden verder bepaald door de algemene voorwaarden ervan. Lees die altijd goed door. Let in ieder geval goed op de volgende zaken.

Hypotheek voortijdig aflossen

Als klanten de hele hypotheek voortijdig willen aflossen, mogen banken een boeterente rekenen. Als u uw hypotheek wilt oversluiten, moet de nieuwe geldgever veel goedkoper zijn, wil dat na het verrekenen van de boete nog voordeel opleveren.
Gedeeltelijk boetevrij aflossen kan altijd als de aflossing lager is dan het boetevrije deel. Dat ligt, afhankelijk van de bank, tussen de 10 en 20% van de oorspronkelijke hoofdsom. Bij een aantal banken mag u ook het deel van de lening dat hoger is dan de WOZ-waarde boetevrij aflossen.

Nieuwe rente

Mede door toedoen van de Consumentenbond moet een bank u uiterlijk drie maanden vóór het aflopen van de rentevaste periode een concreet verlengingsaanbod doen voor minimaal drie rentevaste periodes. Accepteert u een aanbod, dan mag de rente die u uiteindelijk gaat betalen nooit hoger zijn dan dit percentage. Deze lange periode geeft u voldoende tijd om uit te zoeken of u elders goedkoper terechtkunt.

Overige voorwaarden

Een hypotheek heeft in principe een looptijd van 30 jaar. Klanten lossen spaar- en beleggingshypotheken aan het einde van de looptijd af. Bij hypotheken afgesloten na 2001 is dit zelfs verplicht. Voor oudere hypotheken is het ook mogelijk dat (een deel van) de hypotheek niet wordt afgelost. De meeste geldgevers zijn dan bereid de hypotheek te verlengen, al berekenen ze daarvoor soms wel extra kosten. In een aantal gevallen eisen ze dat u opnieuw naar de notaris gaat of advies inwint bij een tussenpersoon, met alle kosten van dien.

Verbouwing

Heeft u geld nodig voor een verbouwing? Let dan hierop.

- Ook voor een verbouwing geldt dat de rente alleen fiscaal aftrekbaar is als de lening minimaal op annuïtaire basis wordt afgelost. Dat is het geval bij een annuïteitenhypotheek, lineaire hypotheek en bij een persoonlijke lening.
- Een verbouwing kan aardig in de papieren lopen. U kunt een verbouwing het best met spaargeld financieren. De rente die u betaalt voor een (hogere) hypotheek is namelijk een stuk hoger dan de spaarrente, ook na aftrek van het belastingvoordeel. Als u veel bezittingen in box 3 heeft, bespaart u bovendien vermogensrendementsheffing. Daarbij is het afsluiten van een tweede hypotheek of een verhoging van de huidige hypotheek erg duur. U bent zo €1000 tot €2000 kwijt aan advieskosten voor de tussenpersoon of bank. Zonder zo'n advies zal de bank geen geld geven.
- Gebruik alleen spaargeld waarover vermogensrendementsheffing is verschuldigd. Het is immers niet slim spaargeld te gebruiken voor een verbouwing als u straks moet lenen om een auto te kunnen kopen. De rente voor een hypotheek is aftrekbaar, die voor een auto niet.
- Voor de financiering heeft u de keus tussen een hypotheek en een persoonlijke lening. De rente van een persoonlijke lening ligt een stuk hoger, maar er zijn geen bijkomende kosten. Rabobankdochter Freo rekent medio 2014 voor een lening van €25.000 voor tien jaar 5,3% rente. Als de bijkomende kosten van een extra hypotheek €2000 bedragen, is de lening van Freo voordeliger als de hypotheekrente voor tien jaar vast meer is dan 3,53%. Bij een kleinere lening moet de hypotheekrente nog een stuk lager zijn om voordeel op te leveren. Nadeel van een persoonlijke lening is dat de lening in tien jaar moet worden terugbetaald. Bij een hypotheek kunt u dat over 30 jaar uitsmeren. De maandlasten van de persoonlijke lening liggen daardoor een stuk hoger.
- Wilt u de verbouwing financieren met een tweede hypotheek bij uw huidige hypotheekverstrekker, let dan op de verhouding tussen de hoogte van uw hypotheek en de waarde van uw huis. Hoe meer u leent ten opzichte van de waarde van de woning, hoe meer risico de bank loopt. Zij kan de rente op uw totale hypotheek verhogen als het risico te groot wordt. Als dat gebeurt, kan het interessant zijn de totale hypotheek over te sluiten.
- Een doorlopend krediet valt af voor een verbouwing. De rente is namelijk niet fiscaal aftrekbaar.

Weg bij hypotheekverstrekker?
Er zijn verschillende redenen om een hypotheek te wijzigen: u wilt een lagere rente, gaat verhuizen of wilt de hypotheek aflossen. Vertrekt u op de renteherzieningsdatum, dan is dat altijd kosteloos. Wilt of kunt u daar niet op wachten, dan mag de bank een boete in rekening brengen, zie het kader 'Boeterente' voor een voorbeeld.
Banken berekenen de boete niet allemaal op dezelfde manier. Bovendien veranderen boeteregelingen nogal eens. Als u de hypotheek niet tussentijds heeft aangepast, gelden hiervoor de voorwaarden die zijn overeengekomen bij het afsluiten van de lening. Als uw hypotheek al enige tijd loopt, zijn die vaak voordeliger dan de voorwaarden zoals ze nu gelden. Let goed op dat de hypotheekverstrekker bij het berekenen van de boete de juiste voorwaarden hanteert.

Boeterente

Stel: de rente van uw aflossingsvrije hypotheek met een restschuld van €200.000 bedraagt 5,6%. De resterende rentevaste periode is nog vijf jaar. Voor nieuwe hypotheken met een rentevaste periode van vijf jaar vraagt de bank 3,2% rente. Dit is een verschil van 2,4% per jaar. Over vijf jaar is dit 12%. De boete wordt niet berekend over de hele hypotheek, maar over het boeteplichtig bedrag. Dat is de hypotheekschuld minus het boetevrije deel. Als 10% van de hypotheek boetevrij is, bedraagt het boetevrije deel €20.000. Het boeteplichtig bedrag is dan €180.000. De brutoboete is 12% van €180.000 = €21.600. Omdat de bank het geld eerder in handen krijgt, wordt dit bedrag nog gecorrigeerd voor het voordeel dat de bank hiervan heeft. Uiteindelijk betaalt u €19.936 voor het oversluiten van uw hypotheek.

5.7 Beleggen

Beleggen doen we via de beurs. Voor alle duidelijkheid: u doet geen zaken met de beurs zelf. De beurs zorgt er alleen voor dat er handel mogelijk is. Uw geld gaat ook niet naar de onderneming van wie u aandelen koopt, tenzij het gaat om de uitgifte van nieuwe aandelen. Uw geld gaat naar de verkoper van de aandelen.
Beleggen is op zich al riskant genoeg. Laat staan als je met een dubieuze of niet-solvabele beleggingsinstelling in zee gaat. Gelukkig worden beleggers op verschillende manieren beschermd.

5.7a Voorkennis

Kennis is macht, ook bij beleggen. Handelen met voorkennis kan dus gezien worden als machtsmisbruik. De WFT stelt handelen met gebruik van voorwetenschap strafbaar. Dat wil zeggen dat iemand fout zit als hij heeft gehandeld op grond van informatie die niet openbaar is gemaakt, maar die bij publicatie wel invloed zou hebben gehad op de beurskoers.
De bekendste voorbeelden van beursgevoelige informatie zijn de kwartaal-, halfjaar- en jaarberichten van bedrijven. Ook informatie over de financiering of de resultaten van een onderneming, het verliezen of verwerven van belangrijke contracten en licenties en veranderingen in zeggenschap, organisatie of kapitaal kunnen hieronder vallen. De directie van een beursgenoteerde onderneming beoordeelt de koersgevoeligheid van de informatie.

Rode maandag

Op een maandag ziet Joe Raphael dat er €35.000 naar zijn Rabo-rekening is overgemaakt vanwege de verkoop van aandelen. Hij boekt het geld dezelfde dag over naar zijn ING-rekening. Tot zijn ongenoegen ontdekt hij later dat de Rabobank €11,50 debetrente heeft afgeschreven, omdat hij een werkdag rood zou hebben gestaan. Via internetbankieren ziet hij dat het bedrag op de maandag is bijgeschreven, maar dat de valutadatum drie dagen later is (gebruikelijk bij een overboeking).
Als Raphael een klacht indient, krijgt hij uit coulance de debetrente teruggestort.
Leergeld, Geldgids april/mei 2014

5.7b Toezicht

Veel mensen beleggen via een beleggingsfonds. De fondsbeheerder daarvan heeft een grote verantwoordelijkheid. Hij belegt immers geld dat niet van hem is voor beleggers die wel de gevolgen van zijn beslissingen dragen. Enige vorm van toezicht is daarom geen overbodige luxe. De gedragsregels waaraan een fondsbeheerder zich moet houden, zijn vastgelegd in de WFT, het toezicht ligt bij DNB. DNB kent voor beleggingsinstellingen een vergunningenstelsel. Alleen instellingen die een

vergunning hebben, mogen buiten besloten kring gelden van beleggers beheren. Via www.dnb.nl kunt u het register van beleggingsinstellingen met vergunning raadplegen. Een besloten beleggingsclub heeft geen vergunning nodig van DNB en valt daarmee ook niet onder het toezicht van de bank.
Beleggingsondernemingen moeten ook een vergunning hebben van de AFM. Zij verleent vergunningen aan effecteninstellingen die zich met vermogensbeheer bezighouden en kan deze bij gebleken onregelmatigheden eventueel ook intrekken. Vertrouwt u een vermogensbeheerder niet, dan kunt u bij de AFM nagaan of hij een vergunning heeft.
De AFM houdt toezicht op het gedrag van aanbieders van beleggingsobjecten. Ze controleert of aanbieders zich aan de wetten en regels houden en of ze bijvoorbeeld de juiste informatie aan consumenten geven. Ondernemingen die effecten uitgeven mogen een prospectus bijvoorbeeld pas aan de consument geven, nadat hij door de AFM is goedgekeurd. Ook controleert de AFM of aanbieders hun zorgplicht nakomen: aanbieders moeten in de gaten houden of hun deelnemers goede beleggingsbeslissingen nemen.
Verder houdt de AFM toezicht op de instellingen en personen die het contact tussen klant en effecteninstelling verzorgen (cliëntenremisiers). Dit zijn vaak assurantietussenpersonen die deze dienst – naast het sluiten van verzekeringen – aanbieden aan hun klanten. Ze krijgen hiervoor een beloning van de klant, maar ze mogen geen adviezen geven en niet namens of in opdracht van de klant handelen. Goed om te weten is dat er sinds 2014 een provisieverbod voor aanbrengvergoedingen geldt, zie het kader 'Provisieverbod' verderop.
Beleggingsondernemingen kunnen onder bepaalde voorwaarden een vrijstelling krijgen voor de prospectusplicht of de vergunningsplicht (de AFM houdt geen toezicht op investeringen boven de €100.000). Ondernemingen met een vrijstelling van de AFM moeten dit in al hun uitingen kenbaar maken. Consumenten kunnen overtredingen melden bij het Meldpunt Financiële Markten via www.afm.nl/meldpunt.
Als een vrijgestelde onderneming zich schuldig maakt aan oneerlijke handelspraktijken, kan de AFM optreden op grond van de Wet oneerlijke handelspraktijken. Onder oneerlijke handelspraktijken vallen misleidende en agressieve verkooppraktijken. Ondernemers kunnen daarvoor een boete krijgen. Zie het kader 'Eerlijke handel' in par. 5.1b.

Provisieverbod

Sinds 1 januari 2014 geldt er een provisieverbod voor vermogensbeheer, beleggingsadvies en *execution only*-beleggen. Onder provisies vallen distributievergoedingen, retourprovisies en aanbrengvergoedingen.
Omdat beleggingsdienstverleners nu verplicht zijn om te zorgen dat zij geen provisies meer ontvangen van fondsaanbieders, betekent dit dat alle banken, beleggingsadviseurs en vermogensbeheerders beleggingsfondsen met distributievergoedingen moeten omwisselen naar beleggingsfondsen zonder distributievergoedingen. U bent dan geen geld meer kwijt aan distributievergoedingen, maar banken berekenen die kosten wel op een andere manier.
Zoek op www.afm.nl op 'aanbrengvergoeding'. U vindt dan een duidelijk overzicht van de situatie vóór en na 1 januari 2014.

Beleggerscompensatiestelsel

Beleggers die geld kwijtraken als gevolg van het faillissement van een bank of commissionair kunnen een beroep doen op het beleggerscompensatiestelsel. Deze garantieregeling is van toepassing op geld dat tijdelijk bij de bank is ondergebracht, bijvoorbeeld om te worden belegd. Het gaat daarbij niet om de effecten die een belegger heeft gekocht via een bank of commissionair – die zijn en blijven het eigendom van de particuliere belegger en vallen buiten een eventueel faillissement van een effectenkantoor. Dat geldt ook voor een belegging in een beleggingsfonds.
Per belegger valt maximaal €20.000 onder de garantieregeling. De regeling wordt toegepast als DNB of de AFM heeft vastgesteld dat een instelling niet meer aan zijn verplichtingen kan voldoen.

De Financiële Bijsluiter

Financiële ondernemingen moeten sinds 1 juli 2002 een Financiële Bijsluiter beschikbaar stellen als consumenten zich oriënteren op de aanschaf van een complex financieel product, zoals een beleggingsfonds of een beleggingsverzekering (zie ook het gelijknamige kader). U moet er wel om vragen; de aanbieder zal u er gratis een verstrekken.
De bedoeling van de Financiële Bijsluiter is dat door het geven van goede en begrijpelijke informatie de consument een verantwoorde beslissing kan nemen. Ook staat er een risicometer in die grafisch weergeeft hoe

groot het risico is dat de consument met een restschuld blijft zitten of zijn inleg kwijtraakt.
In Financiële Bijsluiters van beleggingsinstellingen staan geen regels voor het berekenen van de opbrengst van een beleggingsfonds. Met voorbeeldrendementen wordt duidelijk gemaakt wat het product mogelijk opbrengt. Ook staat er een risicometer in.
Alle beleggingsinstellingen in Europa die in een ander Europees land mogen aanbieden, moeten als gevolg van Europese wetgeving sinds 1 juli 2012 Essentiële Beleggersinformatie geven: een document van maximaal twee pagina's dat internationaal eenvoudig vergelijkbaar is. Hierbij hoort ook een risicometer die uit zeven risicocategorieën bestaat.

Financiële Bijsluiter

Complexe financiële producten moeten voorzien zijn van een Financiële Bijsluiter. Het gaat vaak om combinaties van producten. Als de waarde van een van deze producten afhangt van de ontwikkelingen in de markt, is het een complex product. Dat geldt bijvoorbeeld voor een beleggingsverzekering. Hierbij betaal je premie en een gedeelte ervan wordt belegd: je verzekert en belegt tegelijk.
De overheid heeft bepaalde financiële producten die niet uit combinaties bestaan toch aangewezen als complexe financiële producten:
- **de meeste levensverzekeringen;**
- **beleggingsfondsen;**
- **beleggingsobjecten;**
- **bankspaarproducten.**

In de Financiële Bijsluiter moet altijd de volgende productinformatie staan, in dezelfde volgorde:
- **het doel van het product;**
- **hoe het product werkt;**
- **wat het risico is;**
- **of een klant het product tussentijds kan opzeggen en wat de financiële gevolgen daarvan zijn;**
- **wat er gebeurt als de klant overlijdt;**
- **wat de kosten van het product zijn;**
- **wat het product mogelijk opbrengt, duidelijk gemaakt met voorbeeldrendementen.**

Beleggersprofiel
Niet alleen aan beleggingsondernemingen, maar ook aan beleggende consumenten worden eisen gesteld. Iedereen die een beleggingsadviseur raadpleegt of via een verzekering wil beleggen, moet vragen beantwoorden over zijn financiële situatie, ervaring met beleggen, de risico's die hij wil nemen en de reden waarom hij wil beleggen. De antwoorden op deze vragen leveren een defensief, neutraal of offensief beleggersprofiel op. In het profiel staat welke dienstverlening of belegging bij de klant past.
Door het opstellen van een beleggersprofiel wijst de adviseur de klant op die risico's. De beleggingsadviseur moet namelijk het 'ken uw klant'-principe naleven. Als later blijkt dat het rendement tegenvalt, kan de bank laten zien dat de klant zelf voor het risico heeft gekozen.
Bij advies en vermogensbeheer is de bank wettelijk verplicht het profiel vooraf vast te stellen. Vreemd genoeg hoeft de bank niet eens in de zoveel jaar opnieuw te bekijken of het profiel nog steeds aansluit bij de situatie van de klant.
Het opstellen van een profiel is dus eenmalig, maar een goede adviseur zal de vinger aan de pols houden. Hij zal u vragen opnieuw een profiel in te vullen als uw omstandigheden veranderen.
U bent trouwens niet verplicht een profiel in te vullen. Als u dat niet doet, kan dit wel betekenen dat een bank geen advies wil geven.

Zelf beleggen? Geen profiel

Als iemand zelf belegt, is de bank in principe niet verantwoordelijk. Een beleggingsprofiel is dan niet aan de orde. Er geldt wel een uitzondering voor beleggen in complexe producten, zoals opties en *futures*. Banken moeten bij dit soort producten testen of de klant over voldoende kennis beschikt om erin te kunnen beleggen. Als dat niet zo is, moet de bank een waarschuwing geven. Wilt u alsnog zelf beleggen, dan moet u een verklaring tekenen dat u kennis van de producten heeft. De bank voelt zich dan niet verantwoordelijk of aansprakelijk als er iets misgaat. Als u de verklaring niet ondertekent, mag u niet in opties handelen.

Er bestaat geen standaardformulier voor het opmaken van een beleggersprofiel: iedere bank hanteert een eigen vragenlijst. De antwoorden leveren een profiel op dat de bank gebruikt om de beleggingsportefeuille

samen te stellen. Omdat het aantal en soort vragen per bank variëren, kan het profiel van bank tot bank verschillen.
De AFM verplicht banken een duidelijk verband te laten zien tussen de risico's van het beleggingsprofiel en de invulling van de beleggingsportefeuille. Deze relatie is weergegeven in een risicobalk. Een lichte kleur betekent weinig risico, een donkere kleur wijst op een hoog risico. Dit blijft echter een indicatie, die niets zegt over wat er werkelijk kan gebeuren.

Bescherming. Als een bank of vermogensbeheerder anders belegt dan in uw profiel staat en u hiervoor geen toestemming heeft gegeven, houdt hij zich niet aan de afspraken. Lijdt u daardoor schade, dan kunt u zich op die afspraken beroepen. Zorg ervoor dat de beleggingsafspraken op papier zijn gezet en dat uw persoonlijke situatie bij de adviseur bekend is.

Eigen verantwoordelijkheid

Controleer zelf of het advies inderdaad past bij uw wensen en de risico's die u wilt nemen. U draagt ook zelf verantwoordelijkheid als u belegt. Vraag dus veel informatie over de onderneming waarin u wilt beleggen en over de manier waarop u wilt beleggen. Alleen als u genoeg informatie heeft ingewonnen, kunt u een goede keuze maken. Vergelijk altijd de verschillende manieren om te beleggen. Kijk bijvoorbeeld naar het verschil in risico en naar de kosten. Er zijn websites die beleggingsfondsen en soorten beleggingen vergelijken, zoals www.iex.nl en www.morningstar.nl. Op sites als www.beleggingsmatch.nl kunt u brokers (effectenmakelaars) en vermogensbeheerders met elkaar vergelijken.

p

Tijdig doorgeven

Veel banken hebben in hun voorwaarden staan dat de klant er zelf voor moet zorgen dat de bank over de juiste gegevens van die persoon beschikt. Houd daarom contact met uw adviseur en geef ingrijpende veranderingen door.

De beleggingsadviseur
Als u zelf wilt beleggen, kunt u advies vragen aan uw bank, een broker of een beleggingsadviseur. U kunt ook het advies én de transacties uitbesteden aan een vermogensbeheerder. Sinds 1 januari 2014 geldt er voor vermogensbeheerders een provisieverbod, zie het gelijknamige kader op pag. 172.
Verder mogen banken, beleggingsadviseurs en vermogensbeheerders vanaf 1 januari 2015 geen vergoedingen meer ontvangen van de beleggingsfondsen waarin zij beleggen voor hun klanten (de *kickback*-vergoeding). Voor 2014 geldt een overgangsregeling: vergoedingen van fondsen ontvangen mag nog wel, maar de vergoeding moet volledig worden doorbetaald aan de klant.
Meer over uw rechten ten aanzien van een financieel dienstverlener leest u in par. 5.3.

5.8 Aanslag inkomstenbelasting

Als u op correcte wijze belastingaangifte heeft gedaan, heeft u voldaan aan uw verplichtingen. Maar er kunnen zich onverwachte dingen voordoen, zoals een correctie van de inspecteur op uw aangifte. Of misschien bent u zelf iets vergeten. Wat kunt u dan doen?

5.8a Correctie op de aangifte

U corrigeert uw aangifte zelf
Na indiening mag u de aangifte nog corrigeren. Zulke correcties kunnen leiden tot zowel een hoger als een lager belastbaar inkomen. Heeft u de aangifte digitaal gedaan? Dan kunt u gewoon de compleet ingevulde aangifte nogmaals openen, aanpassen en opnieuw verzenden. Als u de aangifte op papier heeft gedaan, kunt u deze corrigeren door opnieuw een volledig ingevuld aangifteformulier op te sturen.
Als de aanslag al is opgelegd, kunt u ook nog corrigeren. Ontdekt u de vergissing binnen zes weken na dagtekening van de aanslag? Dan kunt u een bezwaarschrift naar de Belastingdienst sturen. Op www.consumentenbond.nl/bezwaarmaken vindt u tips hiervoor. Als de uitspraak op uw bezwaarschrift niet is wat u ervan had gehoopt, kunt u de aanslag aanvechten bij de rechter. U moet dan binnen zes weken na dag-

tekening van de uitspraak een beroepschrift indienen. Ontdekt u de fout (bijvoorbeeld een vergeten aftrekpost) niet binnen zes weken na de aanslag, maar wel binnen vijf jaar na het betreffende belastingjaar? Dan kunt u een 'verzoek om ambtshalve vermindering' doen (zie ook par. 5.8c). De Belastingdienst betaalt de te veel betaalde belasting terug als u daar volgens de wet duidelijk recht op heeft. Maar als er een nieuwe rechterlijke uitspraak of een nieuw besluit van de staatssecretaris is in uw voordeel, heeft u daar geen recht meer op in deze fase. Bovendien kunt u niet naar de rechter stappen als de Belastingdienst uw verzoek in uw ogen ten onrechte afwijst.

Vergissing altijd melden

Meld een vergissing in de aangifte altijd, ook als die in uw voordeel is. Als de fiscus een fout in uw voordeel eerder ontdekt dan u, moet u mogelijk een boete betalen boven op de 'vergeten' belasting.
De fiscus legt geen boete op als u verzwegen vermogen of inkomsten alsnog opgeeft binnen twee jaar na de onvolledige aangifte. Tenzij de fiscus de fout in de aangifte zelf al had ontdekt.
Dit heet de 'inkeerregeling'. Bij inkeer na deze tweejaarsperiode kunt u wél een boete krijgen. Die boete is nog wel een stuk lager dan als de fiscus de fout zélf ontdekt.

Fiscus corrigeert uw aangifte
Ook de fiscus kan uw aangifte corrigeren. Als u het daar niet mee eens bent, kunt een bezwaarschrift indienen en (als dat niet baat) in beroep gaan (zie par. 5.8c).
Als de fiscus een definitieve aanslag nog wil corrigeren, moet hij een navorderingsaanslag (zie par. 5.8b) opleggen. Een aangifte die opzettelijk of door ernstige schuld onjuist of onvolledig is ingevuld, wordt niet alleen gecorrigeerd, maar kan ook worden bestraft met een boete of strafvervolging.

5.8b Soorten aanslagen

U kunt het oneens zijn met een aanslag van de fiscus. Voordat we daar dieper op ingaan, behandelen we de verschillende soorten aanslagen.

- *Voorlopige aanslag*: wordt opgelegd als u nog een aanslag opgelegd zult krijgen. De Belastingdienst houdt met een voorlopige aanslag de mogelijkheid open om de aanslag te corrigeren op het moment dat hij ontdekt dat de voorlopige aanslag onjuist is. De aanslag kan positief of negatief zijn en kan gelden voor een eerder of het lopende belastingjaar.

- *Definitieve aanslag*: wordt opgelegd op basis van uw aangifte inkomstenbelasting. Als u die niet heeft ingediend, kan een ambtshalve aanslag worden opgelegd. De definitieve aanslag moet binnen drie jaar na het belastingjaar worden opgelegd. Als de fiscus een definitieve aanslag heeft opgelegd, mag die niet meer zomaar gewijzigd worden.
- *Navorderingsaanslag*: kan binnen 5 jaar (bij buitenlands inkomen: 12 jaar) na het ontstaan van de belastingschuld nog worden opgelegd. Maar alleen als er sprake is van bijzondere omstandigheden. Bijvoorbeeld als u opzettelijk verkeerd aangifte heeft gedaan of als het overduidelijk was dat de aanslag onjuist was. Op www.consumentenbond.nl/bezwaarmaken kunt u lezen in welke situaties de fiscus mag navorderen.
- *Conserverende aanslag*: hoeft niet direct betaald te worden en soms zelfs helemaal niet als er aan een aantal voorwaarden wordt voldaan. Dit komt vooral voor bij emigratie of erfenissen.

Tráág

Als Michel Ender van bank wisselt en zijn nieuwe rekeningnummer doorgeeft, verloopt dat overal soepel, behalve bij de Belastingdienst. Hij geeft de wijziging telefonisch door, maar moet die schriftelijk bevestigen. Het formulier daarvoor krijgt hij pas na 3 keer bellen en 37 dagen wachten. Ender stuurt het direct retour.

Toch blijkt twee weken later de maandelijkse belastingteruggave niet gestort. Op het oude noch op het nieuwe nummer. Klopt, zegt de Belastingdienst, daarvoor sturen we een aparte brief. En nee, uw bevestiging is nog niet verwerkt, dat duurt zo'n vijf weken. De procedure loopt inmiddels zes weken. Excuses, zegt de Belastingdienst. Leuker? Makkelijker? Ender wil vooral sneller.

Stekeligheden, Consumentengids oktober 2013

Langer navorderen

Voor verzwegen buitenlands inkomen en vermogen geldt een navorderingstermijn van 12 jaar. De 12-jaarstermijn is toegestaan zolang de Nederlandse Belastingdienst geen aanwijzingen heeft over de verzwegen tegoeden/inkomsten. Zodra de fiscus wel aanwijzingen heeft, mag hij niet te lang treuzelen bij het opleggen van de aanslag.
De 12-jaarstermijn geldt ook als het feit dat tot een navordering kan leiden binnen de normale 5-jaarstermijn bekend is. De inspecteur hoeft de navorderingsaanslag dan niet binnen vijf jaar op te leggen, maar moet wel met de nodige voortvarendheid te werk gaan.

5.8c Bezwaar, beroep en cassatie

Bezwaar

Als u het niet eens bent met een voorlopige aanslag, kunt u deze wijzigen met een 'verzoek of wijziging voorlopige aanslag' op de website van de Belastingdienst. Als u de belastingaangifte al heeft ingediend, kunt u de aangifte nogmaals openen, aanpassen en opnieuw insturen. Als u het niet eens bent met een definitieve, conserverende of navorderingsaanslag, kunt u binnen zes weken na dagtekening van het aanslagbiljet een bezwaarschrift bij de Belastingdienst indienen. Als u het bezwaarschrift per post stuurt, moet het binnen zeven weken na dagtekening zijn ontvangen door de Belastingdienst. U kunt bezwaarschriften niet per e-mail of fax sturen, maar wel digitaal via www.belastingdienst.nl.
U moet het bezwaarschrift voorzien van uw naam, adres en burgerservicenummer. Vermeld duidelijk tegen welke aanslag u bezwaar maakt en waarom.
Als u nog tijd nodig heeft om gegevens voor uw motivering te verzamelen, kunt u een pro-formabezwaarschrift indienen, waarin u tevens om uitstel van uw motivering vraagt. Daarmee stelt u in eerste instantie uw rechten veilig. Ook een pro-formabezwaarschrift moet binnen zes weken na dagtekening ingediend worden.
De termijn voor afhandeling van het bezwaar is zes weken. De fiscus heeft het recht deze termijn eenzijdig met zes weken te verlengen. Met uw instemming kan de termijn nog verder worden verlengd. Als de inspecteur binnen deze termijn geen uitspraak doet, dan kunt u hem

dwingen binnen twee weken uitspraak te doen op straffe van een dwangsom.

Het bezwaarschrift moet worden afgehandeld door een andere behandelend ambtenaar dan degene die uw aanslag heeft geregeld. Als dit niet het geval is, wordt de aanslag vernietigd en heeft u recht op teruggaaf van het griffierecht en een vergoeding van proceskosten. Bovendien moet u, als u daarom verzoekt, worden gehoord en moet de fiscus hiervan een verslag opstellen.

Een bezwaarschrift beschouwt de fiscus automatisch als een verzoek om uitstel van betaling, mits het bezwaarschrift het bedrag vermeldt dat wordt bestreden en een berekening van dat bedrag bevat. In alle andere gevallen moet u expliciet om uitstel van betaling vragen.

Tip

Meer informatie

Veel meer informatie over (problemen rond) belastingen vindt u in onze *Belastinggids 2014* en op www.consumentenbond.nl/belasting.

Bezwaar te laat ingediend. Als de bezwaartermijn is verstreken, kunt u alsnog in aanmerking komen voor behandeling van uw bezwaar. De oorzaak van de te late indiening van het bezwaarschrift moet dan wel buiten uw macht liggen. Er moet bijvoorbeeld sprake zijn geweest van een poststaking, van verkeerde voorlichting door de fiscus of van door de fiscus verkeerd geadresseerde stukken. De termijn van zes weken wordt dan verlengd. Als de vertraging niet buiten uw macht ligt, kunt u nog slechts een verzoek om ambtshalve herziening doen.

Tip

Aangetekend

Verzend uw bezwaarschrift aangetekend of geef het tegen een ontvangstbewijs bij de Belastingdienst af. U kunt ook elektronisch bezwaar maken via www.belastingdienst.nl. Daarbij kunt u tegelijkertijd uitstel van betaling vragen voor het bestreden bedrag. U moet inloggen met uw DigiD en krijgt automatisch een bevestiging.

Ambtshalve herziening. Als uw bezwaartermijn is verlopen of een verzoek om termijnverlenging niets heeft opgeleverd, kunt u de inspecteur verzoeken de aanslag ambtshalve te herzien. Dat kan alleen als er sprake is van een vergissing of een omissie die zeker zou hebben geleid tot een andere aanslag als een en ander destijds bekend was geweest. De herziening kan tot vijf jaar terug plaatsvinden.

Vergoeding kosten bezwaarfase. Voor de kosten in de bezwaarfase is een regeling opgenomen in de wet. U moet uitdrukkelijk en vóór de uitspraak op het bezwaar verzoeken om toekenning van deze vergoeding. U krijgt deze alleen als de Belastingdienst onrechtmatig handelt (dus de wet verkeerd heeft uitgelegd) of een duidelijke fout heeft gemaakt. U krijgt de vergoeding dus niet als het gaat om verschillende interpretaties van de feiten.

U heeft bovendien alleen recht op vergoeding als u zich door een derde beroepsmatig laat bijstaan, bijvoorbeeld door een belastingadviseur. Ook kosten van een getuige, deskundige of tolk, reis- en verblijfkosten en verletkosten kunt u vergoed krijgen. Het moet wel redelijk zijn dat u deze kosten maakt voor de behandeling van het bezwaar. Dat is bijvoorbeeld niet het geval als u het probleem zelf ook met één telefoontje naar de Belastingdienst had kunnen oplossen.

Uitzondering: onrechtmatig handelen Belastingdienst

Het kan zijn dat u in een bepaald jaar een incidenteel hoge inkomstenpost heeft en om een voorlopige aanslag verzoekt. Waarschijnlijk krijgt u voor het volgende jaar ook een voorlopige aanslag die gebaseerd is op dat incidenteel hoge inkomen. Dit had u prima zelf kunnen oplossen met de Belastingdienst, maar als u daartegen bezwaar laat maken door een gemachtigde, heeft u tóch recht op een vergoeding van de kosten van bezwaar. De belastingrechter vindt dat het risico van zo'n onzorgvuldige handelwijze voor rekening van de inspecteur komt.

Beroep bij de rechtbank

Als u het niet eens bent met de uitspraak van de Belastingdienst op uw bezwaarschrift, kunt u een beroepschrift indienen bij de rechtbank. U kunt ook beroep aantekenen als de fiscus niet of te laat een uitspraak doet op uw bezwaarschrift (fictieve weigering). U kunt het beroepschrift via een brief of digitaal (via www.rechtspraak.nl) indienen. Voor de behandeling van uw beroepschrift moet u €45 griffierecht betalen. De rechtbank kan mondeling of schriftelijk uitspraak doen.

In het beroepschrift moet u duidelijk vermelden om welke aanslag het gaat. Voeg een kopie van de aanslag en de uitspraak op het bezwaarschrift mee. Bij het versturen van het beroepschrift per post geldt een termijn van zes weken na dagtekening van de uitspraak. Bovendien moet het beroepschrift binnen zeven weken zijn ontvangen. Ook hier bestaat de mogelijkheid van een pro-formaberoepschrift.

Als u door omstandigheden die buiten uw macht lagen de beroepstermijn heeft laten verlopen, kunt u, net als bij het te laat indienen van een bezwaarschrift, toch nog voor behandeling van het beroep in aanmerking komen. U dient dan alsnog een beroepschrift in en vermeldt daarin waarom u het beroep niet eerder heeft kunnen instellen.

Als u het met de inspecteur eens bent over de vaststelling van de feiten, maar niet over de uitleg van de rechtsregels, kunt u voorstellen het hoger beroep bij het gerechtshof over te slaan en direct cassatieberoep bij de Hoge Raad in te stellen. Dit heet een sprongcassatie. De inspecteur moet daar wel mee akkoord gaan. Ook de inspecteur kan sprongcassatie voorstellen. U moet wel oppassen met het akkoord gaan, want bij de Hoge Raad kunt u niet meer tornen aan de vastgestelde feiten.

Tip

Denk aan uitstel van betaling

Als u beroep heeft ingesteld, houdt dit niet automatisch uitstel van betaling in. U moet afzonderlijk bij de Belastingdienst om uitstel vragen en bij het verzoek een kopie van het beroepschrift meesturen. De Belastingdienst is verplicht dit uitstel van betaling te verlenen.

Hoger beroep bij gerechtshof

Als u het niet eens bent met de uitspraak van de rechtbank, kunt u hoger beroep instellen bij het gerechtshof. Daarvoor is €122 griffierecht verschuldigd. Ook de inspecteur kan in beroep gaan.

Het gerechtshof behandelt de hele zaak opnieuw en zal zich ook over de feiten buigen. Het doet mondeling of schriftelijk uitspraak. Daarbij kan het de zaak terugverwijzen naar de rechtbank of zelf uitspraak doen. Ook hier geldt een beroepstermijn van zes weken. Heeft u die laten verlopen door omstandigheden die buiten uw macht lagen, dan komt u nog steeds in aanmerking voor behandeling van het hoger beroep. Dien alsnog een beroepschrift in en vermeld waarom u het hoger beroep niet eerder heeft kunnen instellen.

Cassatie

Tot slot kunt u binnen zes weken na dagtekening van de hofuitspraak daartegen in cassatie gaan bij de Hoge Raad. Het griffierecht is €122. Cassatie is alleen mogelijk als u meent dat het hof rechtsregels heeft geschonden. Puur feitelijke kwesties kunt u niet aan de Hoge Raad voorleggen. U kunt ook geen nieuwe feiten aanvoeren.

Vergoeding proceskosten beroepsfase

Zowel de rechtbank, het gerechtshof als de Hoge Raad kan u een vergoeding voor proceskosten in de beroepsfase toekennen. De hoogte hiervan is onder andere afhankelijk van het financieel belang van de zaak en wordt vastgesteld aan de hand van een puntenstelsel.

U krijgt deze vergoeding als de rechter u geheel of gedeeltelijk in het gelijk stelt en als u beroepsmatige hulp, zoals een belastingadviseur, heeft ingeschakeld. De vergoeding is meestal lang niet kostendekkend. Als de Belastingdienst een onhoudbaar standpunt blijft verdedigen, kent de rechter u soms wel een kostenvergoeding van de werkelijke kosten toe. U kunt ook het betaalde griffierecht terugkrijgen. U heeft mogelijk zelfs recht op een proceskostenvergoeding via uw rechtsbijstandsverzekering.

Tip

Onderling overleg?

De inspecteur kan ook tijdens de bezwaar- of beroepsfase in onderling overleg tegemoetkomen aan uw inhoudelijke bezwaren. Mocht u eruit komen, vergeet dan niet te bedingen dat ook dan de proceskosten worden vergoed.

Figuur 2 Bezwaar tegen de aanslag

Hoelang kan het duren?

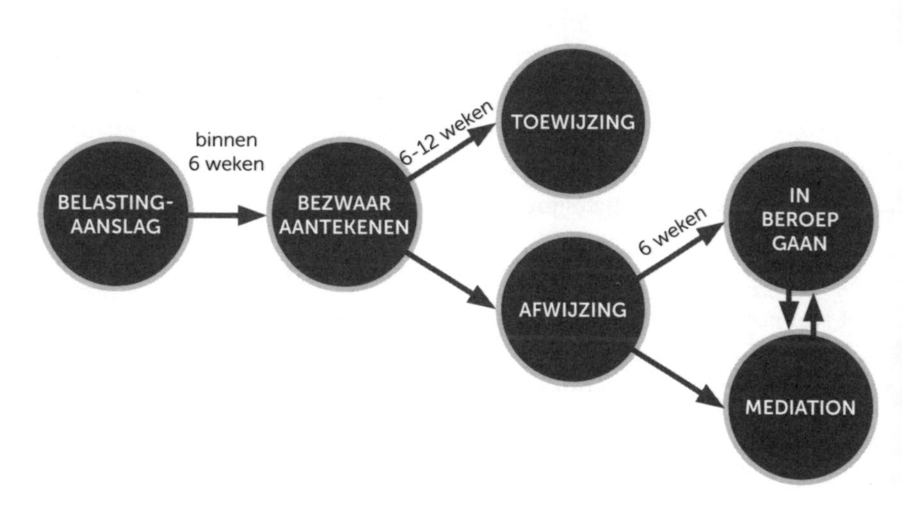

5.8d Regels rond de betaling

Voor aanslagen inkomstenbelasting en premieheffing volksverzekeringen geldt een betalingstermijn van zes weken na dagtekening van het aanslagbiljet. Hierop zijn twee uitzonderingen:

- Een aanslag die betrekking heeft op het lopende jaar mag u in termijnen betalen. Het aantal termijnen wordt vastgesteld aan de hand van het aantal resterende maanden in het belastingjaar.
- Voor navorderingsaanslagen geldt een betalingstermijn van een maand.

Te laat betalen
Als u te laat betaalt, krijgt u eerst een kosteloze herinnering, vervolgens een aanmaning, gevolgd door een dwangbevel en een herhaalbevel. Ten slotte volgt inbeslagneming van uw bezittingen of loonbeslag bij uw werkgever. Uiteraard stopt deze reeks als u betaalt. Elke fase jaagt u steeds verder op kosten. Probeer dit soort complicaties daarom te vermijden en overleg tijdig met de fiscus.

Uitstel van betaling
Kunt u de aanslag niet direct betalen? De Belastingdienst heeft een regeling voor uitstel van betaling (onder voorwaarden) en zelfs voor kwijtschelding (in uitzonderlijke situaties voor zeer arme mensen). Als particulier is vier maanden uitstel voor een bedrag onder de €20.000 eenvoudig via een telefoontje naar de Belastingdienst te regelen, mits er geen ander uitstel loopt en u geen dwangbevel heeft gekregen. Langer uitstel, maximaal 12 maanden, wordt alleen in uitzonderingssituaties gegeven.
Als u bezwaar maakt tegen een aanslag, geldt dit ook als verzoek om uitstel van betaling voor het deel van de aanslag dat u bestrijdt. U moet het bestreden bedrag wel in het bezwaarschrift vermelden en ook de berekening daarvan. In alle andere gevallen moet u expliciet om uitstel van betaling verzoeken.
Dat uitstel wordt u doorgaans automatisch toegekend. Mocht de Belastingdienst desondanks uitstel weigeren, dan kunt u:

- zich beklagen bij de directie Particulieren van de Belastingdienst te Utrecht, de Nationale ombudsman of de Commissie voor de Verzoekschriften van de Tweede Kamer;
- de burgerlijke rechter in een kort geding vragen de Belastingdienst te verbieden invorderingsmaatregelen te nemen.

Verjaring
Het recht om een opgelegde aanslag in te vorderen, verjaart na vijf jaar. Maar bij uitstel van betaling wordt deze verjaringstermijn verlengd met de duur van het uitstel. Als de Belastingdienst nog tijdens de verjaringstermijn tot een vervolgingsactie overgaat, begint vanaf dat moment weer een nieuwe verjaringstermijn van vijf jaar.

Tip

Handige tips

- Vraag in de bezwaarfase om een gesprek met de belastinginspecteur en inzage in uw dossier.
- Bij een fiscale rechtszaak is een advocaat niet verplicht. Het kan wel verstandig zijn gebruik te maken van deskundige bijstand. Dat kan soms ook via de rechtsbijstandsverzekering. Check in uw rechtsbijstandspolis of fiscale zaken gedekt zijn.
- Het is mogelijk digitaal te procederen bij de bestuursrechter (daaronder valt de belastingrechter). Kijk voor meer informatie op www.rechtspraak.nl.
- Als u niet tevreden bent over de wijze waarop de Belastingdienst u behandelt, kunt u een klacht indienen via www.belastingdienst.nl of, als dit niets oplevert, bij de Nationale ombudsman (zie Adressen).
- Tips voor de motivering van uw bezwaarschrift vindt u op www.consumentenbond.nl/bezwaarmaken.

Tip

Verlenging van de beslistermijn

Als de fiscus zich nog niet wil uitspreken over een bezwaar, kan hij om verlenging van de beslistermijn vragen. Volgens de ene belastingadviseur hoeft u daar als belastingplichtige niet akkoord mee te gaan, de andere wijst erop dat u risico loopt als u niet instemt met verlenging. Het is dan zeer waarschijnlijk dat het bezwaar ongegrond wordt verklaard. Het Besluit fiscaal bestuursrecht bevestigt dit. Hierin staat letterlijk dat 'als de indiener van een bezwaarschrift niet instemt met het aanhouden van dat bezwaarschrift, de inspecteur het bezwaar afwijst'. Om gelijk te kunnen krijgen, moet u dan een beroepschrift indienen bij de rechter en daar zijn kosten aan verbonden.

Wat u in ieder geval nooit moet doen, is het bezwaar intrekken en met de inspecteur afspreken dat hij de belastingaanslag 'ambtshalve zal verminderen' als de uitkomst van een vergelijkbare procedure daartoe aanleiding geeft. Zo'n uitkomst kan best nog eens voor verrassingen zorgen en dat kan een nieuwe discussie opleveren. Als belastingplichtige heeft u dan het nakijken, u heeft uw bezwaar immers ingetrokken.

5.9 Pensioen

Pensioen kan afkomstig zijn uit drie verschillende bronnen:

- de overheid (AOW, ANW, WAO);
- de werkgever;
- eigen financiële reserve.

We richten ons hier met name op de werkgeverspensioenen.
U kunt als werknemer een pensioen opbouwen als er in het bedrijf waar u werkt een pensioenregeling is. Nederland kent geen algemene pensioenplicht, dus niet iedere werknemer bouwt pensioen op bij zijn werkgever. Alleen als er een verplichting geldt voor de bedrijfstak van de ondernemer of als dit in de cao is vastgelegd, is een werkgever verplicht een pensioen aan te bieden.
Naast ouderdomspensioen bouwt u bij uw werkgever vaak ook nabestaandenpensioen op. Het nabestaandenpensioen bestaat uit twee delen: wezenpensioen en partnerpensioen, al dan niet op risicobasis. Op risicobasis wil zeggen dat de partner alleen verzekerd is van een uitkering als de overledene tot zijn dood actief was in het bedrijf en premie betaalde.

5.9a Pensioenuitvoerders

Er zijn verschillende pensioenuitvoerders in Nederland: pensioenfondsen, levensverzekeraars en premiepensioeninstellingen (ppi). De gezamenlijke premies van alle werknemers worden bij een van deze drie pensioenuitvoerders gestort. Pensioenfondsen en verzekeraars beleggen het geld; een ppi kan de premie voor u beleggen of op een spaarrekening storten.
Van uw pensioenuitvoerder hoort u de volgende informatie te krijgen:

- een startbrief zodra u deelnemer wordt van de pensioenregeling;
- informatie over een eventuele vrijwillige pensioenregeling;
- het Uniform Pensioenoverzicht (UPO); dat krijgt u elk jaar van uw huidige pensioenuitvoerder en eens per vijf jaar van uw eventuele vorige pensioenuitvoerder(s);
- een pensioen(toekennings)brief (bevat informatie als u met pensioen gaat);
- een melding als uw werkgever premieachterstand heeft;
- een reglementwijzigingsvoorstel (indien van toepassing);
- bij scheiding een overzicht voor de ex-partner;

- eens in de vijf jaar een UPO voor de ex-partner;
- een stopbrief (beëindigingsoverzicht opgebouwd pensioen) als u uit dienst gaat;
- een fiscaal jaaroverzicht voor gepensioneerden.

Pensioenuitvoerders staan onder toezicht van de AFM en DNB. De AFM controleert of pensioenuitvoerders zich wel aan de informatieplicht houden en houdt toezicht op de zorgplicht bij beschikbare premieregelingen. DNB controleert de financiële positie van pensioenfondsen en levensverzekeraars.

Tip

Registers

In de DNB-registers zijn alle pensioenfondsen en levensverzekeraars opgenomen die onder toezicht staan. Op de website vindt u ook de (rechts)opvolgers van niet meer bestaande pensioenfondsen. Neem voor vragen contact op met de Informatiedesk van DNB (zie Adressen).

Slecht Zwitserleven-gevoel

Inge de Bekker wil haar nabestaandenpensioen van een paar honderd euro bij Zwitserleven ruilen voor meer ouderdomspensioen, zodat ze vanaf haar 65e geen €392, maar €430 per jaar pensioen ontvangt. Maar in het najaar van 2013 krijgt zij een brief waarin staat dat ze haar nabestaandenpensioen alleen in één keer kan laten uitkeren.
Als De Bekker Zwitserleven hier licht geagiteerd over belt, vertelt een medewerker dat advies bij ruilen verplicht is. 'Ik zou hiervoor naar een tussenpersoon moeten die kosten rekent, terwijl het om nog geen €300 gaat!', verzucht De Bekker.
Na talrijke mailtjes ontvangt ze drie maanden later toch een offerte van Zwitserleven. Advies is niet meer nodig, vanwege de – jawel – lage waarde.
Zwitserleven: 'Er is ten onrechte alleen de optie voor afkoop gegeven. In dit geval kan nabestaandenpensioen zonder advieskosten worden geruild.'
Leergeld, Geldgids februari/maart 2014

5.9b Wet pensioenverevening

Voor alle scheidingen die plaats hebben gevonden op of na 1 mei 1995 geldt de Wet verevening pensioenrechten bij scheiding (kortweg: Wet pensioenverevening). In deze wet wordt bepaald dat het pensioen bij scheiding verevend wordt: de ex-partner heeft recht op de helft van het ouderdomspensioen dat tijdens het huwelijk is opgebouwd.
Het opgebouwde ouderdomspensioen op de scheidingsdatum is gelijk aan het premievrij ouderdomspensioen dat u zou hebben gekregen als u op het moment van scheiding ontslag had genomen.
De uitkering van het ouderdomspensioen aan de beide ex-partners vindt plaats als de pensioengerechtigde partner met pensioen gaat. Als u degene bent die recht heeft op de helft van het door uw ex-partner opgebouwde pensioen, moet u de scheiding binnen twee jaar aan de pensioenuitvoerder of verzekeraar melden. Dan krijgt u uw deel rechtstreeks uitbetaald zodra uw ex-partner met pensioen gaat. Bent u te laat, dan moet u uw aandeel in het ouderdomspensioen opeisen bij uw ex-partner.
Het deel van het ouderdomspensioen dat aan de ex wordt toebedeeld, wordt uitgekeerd zolang de beide ex-echtgenoten in leven zijn. Als de (toebedeelde) ex-partner overlijdt, ontvangt degene die het pensioen heeft opgebouwd weer het volledige pensioen. Als de pensioengerechtigde eerder overlijdt, ontvangt de ex alleen het bijzonder nabestaandenpensioen, voor zover daarin is voorzien.

Tip

Andere regeling?

Als u wilt afwijken van de wettelijke regeling kunt u dat in de huwelijkse voorwaarden, en mogelijk in het echtscheidingsconvenant, laten vastleggen.

5.9c Pensioenreglement

Als een werkgever pensioen aan werknemers toezegt, is dat meestal vastgelegd in de cao of in de arbeidsovereenkomst. Daarnaast is er meestal een pensioenreglement waarin de pensioentoezegging wordt beschreven. In het pensioenreglement komt een aantal zaken aan de orde, zoals pensioenleeftijd, diensttijd, opbouwpercentage en ontslagbepalingen.

Tip

Zorgen over pensioen

Veel mensen zijn bezorgd over hun pensioen. Vraag om uitleg als u zich ergens zorgen over maakt, bijvoorbeeld over premies die niet worden betaald. Dat kan vaak bij de deelnemersraad van een pensioenfonds.
Als uw pensioen bij een verzekeraar is ondergebracht, is er meestal geen deelnemersraad. Vraag dan goed na welke nadelige gevolgen uw situatie heeft en of het verstandig is extra maatregelen te nemen. Neem zo nodig ook contact op met uw werkgever.

5.9d Klachten

Geschil over AOW of ANW

Bent u het niet eens met een beslissing van de Sociale Verzekeringsbank (SVB, zie Adressen) over uw AOW- of ANW-uitkering? Neem dan eerst contact op met de SVB. Helderheid kan uw bezwaren wellicht wegnemen. Het kan ook zijn dat de SVB niet al uw gegevens correct had en ze op basis van nadere informatie van uw kant een andere beslissing neemt.
Komt u er niet uit, dan kunt u een bezwaarschrift indienen bij de SVB. Bent u niet tevreden met het antwoord op het bezwaarschrift, dan kunt u in beroep gaan bij de sector Bestuursrecht van de rechtbank. Als u het niet eens bent met de beslissing van de rechter, kunt u in hoger beroep gaan bij de Centrale Raad van Beroep.
Gaat uw klacht niet over een beslissing, maar over de manier waarop de SVB of het UWV u heeft behandeld, dan dient u de klacht eerst in bij het klachtenbureau van deze organisaties.
Vindt u dat de klacht niet goed is afgehandeld, dan kunt u naar de Nationale ombudsman (zie Adressen) gaan. Binnen drie weken hoort u wat hij voor u kan doen. Hij kan ingrijpen, wat inhoudt dat hij via een gesprek met de overheidsinstantie het probleem probeert op te lossen. Een andere optie is dat hij onderzoek doet en daarover rapporteert.
Alle rapporten van de Nationale ombudsman zijn openbaar. Een uitspraak, advies of rapport van de Nationale ombudsman is – anders dan een uitspraak van een rechter – niet bindend.

Nationale ombudsman

De Nationale ombudsman is onafhankelijk en onpartijdig en behandelt klachten over bijna alle overheidsinstanties: ministeries, andere bestuursorganen (zoals de SVB en de Dienst Uitvoering Onderwijs), politie, waterschappen, provincies en een groot aantal gemeenten.
De Nationale ombudsman kan ook op eigen initiatief een onderzoek doen. Wat hij wel en niet mag doen, ligt vast in de wet. Alle betrokkenen zijn verplicht aan zo'n onderzoek mee te werken.

Geschil over een werkgeverspensioenregeling
Neem eerst contact op met de pensioenuitvoerder als u een klacht heeft. Misschien kunt u er samen uitkomen. Lukt dat niet, dan kunt u vaak naar een klachtencommissie van de pensioenuitvoerder. Als u ook daar niet tevreden over de uitkomst bent, kunt u kosteloos naar de Ombudsman Pensioenen (zie Adressen) als het gaat om de uitvoering van een pensioenreglement. Met een klacht van verzekeringstechnische aard kunt u terecht bij het Kifid.
Klachten over het pensioenreglement zelf kunnen niet door de ombudsman of het Kifid behandeld worden. De inhoud daarvan berust immers op een overeenkomst tussen werkgevers en werknemers. Alleen zij kunnen die veranderen. U kunt zich het best richten tot een belangenorganisatie, ondernemingsraad of deelnemersraad. Met klachten over de uitvoering van wettelijke bepalingen moet u naar de rechter.
De procedures bij de Ombudsman Pensioenen, het Kifid en het College voor de Rechten van de Mens zijn gratis.
Als u vindt dat de interne klachtenregeling van het pensioenfonds of de inschakeling van een van de ombudsmannen niet tot een goed resultaat heeft geleid, kunt u naar de rechter stappen. Win wel eerst juridisch advies in. U kunt het een en ander natuurlijk ook melden bij de toezichthouder AFM.

Ombudsman Pensioenen. De Vereniging van Bedrijfstakpensioenfondsen, de Stichting voor Ondernemingspensioenfondsen en het Verbond van Verzekeraars zijn aangesloten bij de Ombudsman Pensioenen. Dit is een onafhankelijke instelling die klachten en geschillen over de uitvoering van het pensioenreglement behandelt.
U kunt pas naar de Ombudsman Pensioenen nadat u de klachtenregeling van de pensioenuitvoerder heeft gevolgd. U kunt de zaak aanhangig

maken door een brief te sturen waarin de klacht of het geschil duidelijk wordt gemaakt. Onze ervaring leert dat het verstandig is eerst contact op te nemen met het secretariaat om na te gaan of een zaak zich leent voor behandeling door de Ombudsman Pensioenen.
De ombudsman kijkt eerst of de oorzaak van de onvrede kan worden weggenomen door een duidelijke uitleg van wat er aan de hand is. Een pensioenregeling is namelijk vaak erg ingewikkeld. Is de klacht of het geschil blijvend van aard, dan zal de ombudsman proberen via bemiddeling tot een oplossing te komen.
Als bemiddeling geen effect heeft, kan de ombudsman een advies uitbrengen. Het advies is niet bindend, maar wordt als regel gevolgd.

Kifid. Wie een klacht heeft over een pensioenpolis die hijzelf of zijn werkgever met een verzekeraar heeft gesloten, kan daarmee ook naar het Kifid (zie par. 5.1b). Deze geschilleninstantie behandelt de min of meer verzekeringstechnische klachten die bijvoorbeeld kunnen bestaan bij levensverzekeringen (zoals lijfrentepolissen en kapitaalverzekeringen).

Ongelijke behandeling

Het Europees Hof heeft sinds 1990 enkele uitspraken gedaan die steeds duidelijker maken welke vormen van ongelijke behandeling van vrouwen en mannen in pensioenregelingen verboden zijn. Zo mogen er geen ongelijke pensioenleeftijden, ongelijke toetredingsleeftijden, ongelijke opbouwpercentages, ongelijke franchises en ongelijke bijdragen zijn. Verder moet men vrouwen dezelfde pensioensoorten aanbieden als mannen. Als er dus een weduwenpensioen is geregeld, moet er ook een weduwnaarspensioen zijn.
Als u een zaak heeft over ongelijke behandeling binnen de pensioenregeling, dan kunt u zich wenden tot het College voor de Rechten van de Mens (zie Adressen).

Adressen

Adfiz, Adviseurs in Financiële Zekerheid
Postbus 235
3800 AE Amersfoort
(033) 46 43 464
www.adfiz.nl

Algemene Nederlandse Vereniging van Reisondernemingen (ANVR)
www.anvr.nl
alleen voor klachten over de ANVR als keurmerkeigenaar:
Postbus 543
3740 AM Baarn

Autoriteit Consument & Markt (ACM)
Postbus 16326
2500 BH Den Haag
(070) 72 22 000
www.acm.nl

Autoriteit Financiële Markten (AFM)
t.a.v. afdeling Meldpunt Financiële Markten
Antwoordnummer 11090
1000 PB Amsterdam
0800 – 54 00 540 (ma t/m vr 9-17 uur)
www.afm.nl
www.weetwatjeweet.nl

Bureau Krediet Registratie (BKR)/Geschillencommissie BKR
Dodewaardlaan 1
4006 EA Tiel
(088) 150 25 00 (ma t/m vr 8.30-17 uur)
www.bkr.nl

Centrale Raad van Beroep
Postbus 16002
3500 DA Utrecht
(030) 850 21 00
www.rechtspraak.nl

College voor de Rechten van de Mens
Postbus 16001
3500 DA Utrecht
(030) 888 38 88
www.mensenrechten.nl

Commissie Kwaliteitszorg NVVK
Postbus 221
3500 AE Utrecht
(085) 489 57 40 (ma t/m vr 9-16.30 uur)
www.nvvk.eu

ConsuWijzer
Postbus 1031
2260 BA Leidschendam
(088) 070 70 70 (ma t/m vr 8.30-17.30 uur)
www.consuwijzer.nl

Coördinatieorgaan van samenwerkende ouderenorganisaties (CSO)
Postbus 2069
3500 GB Utrecht
(030) 276 99 85
www.ouderenorganisaties.nl

De Geschillencommissie
Postbus 90600
2509 LP Den Haag
(070) 310 53 10
www.degeschillencommissie.nl
- Geschillencommissie Centrale Antenne Inrichtingen
- Geschillencommissie Elektronische Communicatiediensten

- Geschillencommissie Luchtvaart
- Geschillencommissie Optiek
- Geschillencommissie Reizen
- Geschillencommissie Telecommunicatie
- Geschillencommissie Thuiswinkel

De Nederlandsche Bank (DNB)
Postbus 98
1000 AB Amsterdam
0800 – 020 10 68 (gratis, ma t/m vr 9-17 uur)
www.dnb.nl

Europees Consumenten Centrum
Postbus 487
3500 AL Utrecht
(030) 232 64 40 (ma t/m vr 9-17 uur)
www.eccnl.eu
www.consumentinformatiepunt.nl

Juridisch Loket
0900 – 8020 (starttarief 1,5 c, daarna €0,20 pm; ma t/m vr 9-18 uur)
www.juridischloket.nl

Klachteninstituut Financiële Dienstverlening (Kifid)
Postbus 93257
2509 AG Den Haag
(070) 333 89 99
www.kifid.nl

Nationale ombudsman
Antwoordnummer 10870, 2501 WB Den Haag
bij spoed:
Postbus 93122
2509 AC Den Haag
0800 – 335 55 55 (ma t/m vr 9-17 uur)
www.ombudsman.nl

Nederlandse Bond voor Pensioenbelangen (NBP)
Scheveningseweg 7
2517 KS Den Haag
(070) 360 19 21
www.pensioenbelangen.nl

Nederlandse Vereniging van Banken (NVB)
Postbus 7400
1007 JK Amsterdam
(020) 550 28 88
www.nvb.nl

Nederlandse Vereniging van Organisaties van Gepensioneerden (NVOG)
Postbus 2069
3500 GB Utrecht
(030) 284 60 80
www.gepensioneerden.nl

Ombudsman Pensioenen
Postbus 93560
2509 AN Den Haag
(070) 333 89 65
www.ombudsmanpensioenen.nl

Orde van Advocaten
Postbus 30851
2500 GW Den Haag
(070) 335 35 35
www.advocatenorde.nl

Raad voor Rechtsbijstand
Centraal kantoor Utrecht
Postbus 24080
3502 MB Utrecht
(088) 787 10 00 (ma t/m do 9-17 uur; vr 9-16 uur)
www.rvr.org

Sociale Verzekeringsbank
Postbus 1100
1180 BH Amstelveen
(020) 656 56 56 (ma t/m vr 8-17 uur)
www.svb.nl

Stichting Calamiteitenfonds Reizen
Postbus 4040
3006 AA Rotterdam
(010) 414 68 45
www.calamiteitenfonds.nl

Stichting CIS
Postbus 91627
2509 EE Den Haag
(070) 333 85 11 (ma t/m do 9.30-12 en 14-16.30 uur)
www.stichtingcis.nl

Stichting Garantiefonds Reisgelden (SGR)
Postbus 4040
3006 AA Rotterdam
(010) 414 63 77
www.sgr.nl

Stichting Klachten en Geschillen Zorgverzekeringen (SKGZ)
Postbus 291
3700 AG Zeist
(088) 900 69 00 (ma t/m vr 9-17 uur)
www.skgz.nl

Verder lezen

Geld & recht

Belastingtips voor senioren
Bespaar geld!
De rol van de executeur
Een goed pensioen
Het levenstestament
Mijn vermogen en de AWBZ
Samenwonen
Scheiden
Slim nalaten & schenken
Testament & overlijden
Tips & toeslagen

Gezondheid & voeding

Bewegen & fit blijven
Blijf gezond!
Eten & weten
Gezond eten voor senioren
Het juiste medicijn
Het Keuzedieet
Het Keuzedieet 2
Het Keuzedieet kookboek
Het praktische patiëntenboek
Wijzer over geheugen
Zelf dokteren

Computer & internet

Foto's bewerken
Gratis online software
Haal meer uit je tablet
Langer plezier van je pc
Online Privacy
PC-EHBO
Welkom in de cloud

Diversen

1001 Reparaties in huis
De mooiste Nederlandse steden
Groen leven
Lekker schoon!
Prettig blijven wonen
Testjaarboek 2014
Weg die vlek!
Zelf klussen – Hout & meubels
Zelf klussen – Keuken & badkamer

Vrijwel alle uitgaven zijn verkrijgbaar als paperback en als e-book.

Bestellen?

Leden van de Consumentenbond ontvangen korting op deze boeken. U bestelt ze eenvoudig in onze webwinkel op **www.consumentenbond.nl/webwinkel**. U kunt ook telefonisch bestellen via onze afdeling Service en Advies: **(070) 445 45 45.** Bent u lid? Houd dan uw lidmaatschapsnummer gereed. We zijn op werkdagen van 8 tot 20 uur bereikbaar (vrijdag van 8 tot 17.30 uur).

Uw lidmaatschap biedt meer dan u denkt!

- U ontvangt de **Consumentengids** of een van onze andere gidsen, zowel in print als digitaal.
- Al onze uitgaven zijn 100% **onafhankelijk** en **advertentievrij**.
- U heeft 24 uur per dag toegang tot onze betrouwbare, **onlinetestinformatie** over meer dan 2000 producten en diensten.
- U kunt tot honderden euro's **besparen** op uw energierekening en zorgverzekering.
- U ontvangt 20-30% **korting** op boeken en e-books van de Consumentenbond.
- U ontvangt van onze afdeling Service & Advies **gratis advies** over aankoop, service, garantie en – heel handig – uw rechten.
- U weet altijd wat de **Beste Koop** is en kunt gratis gebruikmaken van de **Beste Koop-App**.
- U ontvangt gratis de Consumentengids Auto, **Minigidsen** en diverse handige **apps**
- U ontvangt wekelijks onze gratis **nieuwsbrief**.
- U kunt deelnemen aan **testpanels**.
- De Consumentenbond stelt samen met vele branches algemene **voorwaarden** op, waarbij rechten en plichten tweezijdig eerlijk worden vastgelegd.

Een compleet en actueel overzicht van uw lidmaatschap vindt u op www.consumentenbond.nl/voordeel

---

Contact
Service & Advies: (070) 445 45 45
Internet: www.consumentenbond.nl
Contactformulier: www.consumentenbond.nl/contact

Voorwaarden lidmaatschap en abonnement
Kijk op www.consumentenbond.nl/algemenevoorwaarden

Volg ons ook op
www.facebook.com/consumentenbond
www.youtube.com/consumentenbond
www.twitter.com/consumentenbond

Consumentenbond